P9-CTA-621

Михаил Жванецкий

Москва
2019

# Михаил Жванецкий

Москва
2019

УДК 821.161.1-3
ББК 84(2Рос=Рус)6-44
Ж41

Фотография на суперобложке:
© Валерий Плотников

В коллаже на суперобложке использована фотография:
jaras72 / Shutterstock.com
Используется по лицензии от Shutterstock.com

**Жванецкий, Михаил Михайлович.**

Ж41 Куда ведут наши следы / Михаил Жванецкий. — Москва : Эксмо, 2019. — 400 с.

ISBN 978-5-04-100914-4

Неповторимый, узнаваемый, великий, народный писатель. Король юмора, дежурный по стране — все это Михаил Жванецкий!

В новой книге тонкий юмор автора на абсолютно разные темы: смешные случаи и истории из жизни, отношения мужчин и женщин, молодость и старость, семейное счастье и ностальгия по недалекому прошлому, искренние посвящения друзьям и еще многое другое.

Уникальность Михаила Жванецкого, его талант — в емкости и точности фраз, в их философской мудрости и в то же время простоте и легкости.

«Если бы я мог обмануть себя по-крупному, я был бы счастлив».

Его юмор помогает жить, дарит море положительных эмоций, объединяет людей.

**УДК 821.161.1-3**
**ББК 84(2Рос=Рус)6-44**

**© М. Жванецкий, 2019**
**© Оформление. ООО «Издательство «Эксмо», 2019**

**ISBN 978-5-04-100914-4**

*Есть писатель-река.*
*Есть писатель-море.*
*Я писатель-дождь.*
*Меня надо собирать в ведро.*

Ненавижу цепи.
Обожаю нити.

Я все-таки не герой, я — соловей.

# НОСТАЛЬГИЯ

Для меня Старый год — это год революции на Украине.

Это люди, в которых проснулась свобода.

Это униженные начальники, предъявляющие пропуск толпе.

Это молодые лица.

Это тот недолгий праздник, что даёт толчок жизни и искусству.

А что будет потом — это будет потом.

Всевышний, к сожалению, строго следит за балансом.

Он уж постарается, чтоб ликование не осталось безнаказанным.

Тем более что те, кого вынесло наверх, всегда думают одинаково.

Но мы это знаем, и они знают, что мы знаем, что они знают, что мы знаем.

Мы на это идём ради праздника.

А куда денется огромная толпа чиновников, милиционеров, председателей комиссий, министров, инспекторов, аудиторов и судей, то есть тех, кто превращает результат, который будет, в результат, который был?

Куда они денутся, мы увидим сразу после Нового года.

А пока прошу к столу.

# ИСТОРИЯ ВКРАТЦЕ

Дети во дворе.
— Это ты порвал?
— Это само было.
— Погуляешь, пойдёшь делать уроки.
— Я буду делать арифметику.
— Делай арифметику.
— Нет. Я буду делать письмо.
— Делай письмо.
— Нет. Я буду делать географию.
— Делай географию.
— Но сначала я погуляю.
— Хорошо. Погуляй.
— Нет. Я сначала пойду делать арифметику.

Усосался водки, отъедренил мать, закатил под кровать жену, дыханием убил фикус, затолкал жвачку в скважину соседям, разбил раковину, избил прохожего и неожиданно погладил кота.

Главная ошибка пишущего — ему кажется, что люди жадно ловят его слова.

Народ имеет того, кто его имеет.

— Когда пьёшь коньяк — сосуды расширяются.
— А когда не пьёшь — сужаются?
— Так кто же им даст?!

В Одессе.
— Как пройти к Привозу?
— Идите так, как я сижу.
— Вы имеете в виду — лицом?
— А как же! Идите, я вас буду наблюдать. Если вы не туда свернёте, я крикну. Идите, идите, пока я молчу.

# ИСТОРИЯ ВКРАТЦЕ

Они шли к морю по узкому переулку.

Две толстые женщины с большой кошёлкой посредине.

Молодой парень не мог их обогнуть.

Опёрся на их плечи и, легко перепрыгнув кошёлку, затанцевал впереди.

К нему подошёл кто-то из зрителей:

— Вы обидели двух женщин.

— Вы антисемит? — спросил парень.

— Я еврей.

— И я еврей, — сказал русский, и они разошлись.

Мы все следим за культурой женского тела.

Идеальный ресторан — когда официантки отвлекают от еды, а еда отвлекает от официанток.

В нашей стране данные о воровстве тоже ворованные.

Отец говорил мне: «Не спеши, и всё сбудется!»
И вот сбылось: я уже не спешу.

Она вышла на сцену с цветами.

Пожелала мне всего хорошего, поблагодарила за прекрасный концерт, за огромный заряд бодрости, за прекрасный юмор, за незабываемые впечатления и вручила цветы.

Пришлось растеряться, так как концерт ещё не начинался.

Конечно, для счастья мало хорошего дома, прекрасной машины, обильной еды, тёплой одежды, весёлых детей... Но что там остаётся?

Если бы я мог обмануть себя по-крупному, я был бы счастлив.

У нас единственные профессионалы — это воры.

— Ты едешь на соревнования по юмору?

— Нет. Не берут. Говорят, что я мешаю им соревноваться.

Вы думаете, если я одинок, значит — свободен?
А если женат — значит, не одинок?

Я женился и превратился из свободного, весёлого, лёгкого, молодого, ни в чём не нуждающегося человека в счастливого! Ага! ...А как же!

Что такое 80? Это право целовать любую женщину без её согласия и без своей надежды.

Последнее, что я услышала:

— Галочка, кагор — церковное вино. От него не опьянеешь.

Вот это дом!

Даже спальня имеет кодовый замок.

Плита закрывается на ключ.

Каждая форточка захлопывается на английский потайной наборный.

Раковина на замке.

Холодильник на висячем амбарном.

Кровать цепями прикована к стене.

В кровати жена на цепи.

И дети на цепочках.

Собаки свободно бегают на ремешках.

Сам с большой верёвкой.

Тёща чемоданными ремнями прихвачена к блоку на тросе.

Машина в гараже приварена к столбам, врытым в землю, выходящим на другой стороне земного шара, и там законтрагаенным.

Гараж в броневых листах с канонерки.

Велосипед на цепи.

Цепь уходит к скальной породе и там приварена к металлическому столбу.

В общем, условия для жизни есть.

Осталось только жизнь наладить.

Вот ещё размышления.

Выполнить приказ не раздумывая или задумываясь?

Как лучше для приказа?

Вот в начале войны не задумывались.

А итог вы знаете.

Добро — сутулое, некрасивое, мозолистое, слезящееся, седое и даже кривоногое.

А зло вы когда-нибудь видели?

Да! Вы любовались им!

Сходя со сцены, он играл чудовищно.

Дома, в гостях, на улице — он не знал, кого изображать.

Не знал слов.

Не выработал походку.

Не мог вжиться в костюм.

Был неорганичен.

Как новичок.

Кто он? Кто?

Только на сцене, где есть костюм, слова и режиссёр, он был велик.

Всё, что-нибудь стоящее, — в одиночестве.

Насмотрелись мы на толпы.

Слоны, быки, медведи не имеют чувства юмора.

Это привилегия мышей, кролей, зайцев и прочих мелких, но хитрых.

Раньше смехом корчевали, теперь удобряют всякие гадости.

## САМОЧУВСТВИЕ

Встал — лучше.
Вышел — хуже.
Выпил — лучше.
Съел — хуже.
Прилёг — лучше.
Встал — хуже.
Сел — лучше.
Пошёл — хуже.
Остановился — жуть.
Двинулся — мрак.
Прислонился — лучше.
Разговорился — ничего.
Договорился — лучше.
Проводил — хуже.
Завтра — не пришла.
Чем смешить будем, послезавтра концерт в Барнауле?

# ВЕСНА

Почему у оленей зов в лесу весной?

Почему мужчина не может дать зов с улицы через окно?

Или из квартиры через форточку?

И почему не набегут женщины на самый могучий зов — зов жизни?

Даже слово «издаю» теперь обозначает пошлость.

Что ты издаёшь?

Я издаю зов.

Зов любви.

Трубный голос из квартиры.

Со скамейки.

Из двора.

Я выхожу на улицу.

Я возбуждён.

Огромный яркий хвост.

Красное горло, горящие щёки...

Мой зов:

— А-а-а!

Откликнитесь!

Из меня рвётся любовь!

Я уже люблю!

Не нужно бесед...

Кто я?

Я самец...

Без документов.

Без денег.

Я могучий самец.

Я зову в лес.

Для потомства.

Только для потомства. Денег у меня нет!

Что же вы разбежались?

У вас не хватает населения, а вы могучего самца заталкиваете в КПЗ.

От кого ж понесёте, если запрёте меня в такой период...

Ну, нету у меня недвижимости.

Я весь в движении.

Я несу в себе страсть и потомство.

Ой, поймали, скрутили, вернули на кухню...

Нет у меня для вас сына. Всё, весна кончилась.

## ОБОКРАЛИ

У юриста, который летел в Одессу читать лекцию о морском праве, разрезали снизу подкладку пиджака и вытащили все деньги.

Я оказался телом более чувствителен и как-то дёрнулся, забеспокоился и уцелел.

А он звонил жене из Симферополя:

— Лена, ты только не волнуйся.

Из трубки раздался лай собаки.

— Лена.

Из трубки лай.

— Лена, убери Шульца... Это наша собака.

— У меня мало денег. Мне люди собрали. Нужно быстро говорить. Лена...

Оттуда лай.

— Лена, ты только не волнуйся. Меня обокрали. Лена, у меня нет времени говорить. Меня обокрали. Лена, у меня нет денег даже на этот разговор. Мне собрали на этот разговор.

Из трубки лай.

— Убери собаку. Мне собрали на этот разговор. Меня обокрали. Лена, телеграфируй мне в Одессу. Я из Симферополя говорю. Мы сели сюда. Одесса не принимала, и меня обокрали. Разрезали подкладку. Я по карточке говорю. Я не знаю, как посылать. Свяжись с моей работой. Нет, мне тут собрали на завтрак и на разговор. Лена, не волнуйся и перестань. Лена, перестань говорить. Лена, замолкай. Бросай трубку. Лена, я здоров. Пришли в Одессу. Лена, разберись.

Из трубки лай.

— Шульц, молчи. Меня обокрали. У меня нет денег на твой лай. Дубина.

Лена, в Одессе я буду завтра... Я не знаю, я буду просить у прохожих.

Я что-нибудь продам.

Я узнаю, где тут покупают.

Тут все что-то продают.

Отдыхающие всё продают.

Тут такие ряды...

Я встану в ряд...

Я не знаю...

Туфли, плащ...

Да чёрт с ним...

Надо выпить.

Не плачь...

Паспорт цел...

Кто меня будет встречать?

Я не знаю...

Всё! Она вылетает! Жизнь моя!

А я женщина, и бизнес у меня женский.

Салон.

Кого я могу брать?

У меня одни женщины.

Брать студенток нельзя.

На сессию уходят.

Брать пожилых — ну, во-первых, болезненные, во-вторых, только научишь — может померереть.

Молодых тоже не возьмёшь — беременеют.

Лучше всего женщина от 30 до 40.

И миловидные, и работают, стараются и профессией дорожат.

Но тоже бедствием овладели — беременеют повально.

В сорок — сорок два.

От кого?

Кто там у них?

На свидание не бегала, в театр не ходила — и бац!

На четвёртом месяце.

Вот это самое страшное.

Немолодая, которая родила.

Это целый день звонки домой.

Как поел, как сходил, чем попочку вытерли, чем ножки протёрли.

Я сама женщина.

Но я же не беременею внезапно для всех.

Может, сейчас люди тяжело живут, но интересно.

Благодаря лекарствам и новым методам лечения.

— Мне трудно выразить свою мысль.

— А кто может помочь вам выразить вашу мысль?

Почему я не хочу быть губернатором.

У меня своих нет.

Ну — Сташкевич — вице-губернатор.

Ну — Гарик — вице-губернатор.

А МВД, а ФСБ, а секретариат, а торговля?

Нет дорог.

Кого поставить?

Посторонних? Не поставлю!

Нет своих — не лезь во власть!

## БЕДНЫЙ ЮРИК

После выступления бездарного юноши, но сына очень богатого папы — специальное заседание педсовета.

Педагог по речи — языку:

— Мы здесь собрались прежде всего, чтобы отметить, что мальчик учится.

Главное у него есть.

Это... Это... Что именно, я скажу потом...

А сколько в него вбабахано труда.

Педагог по зарубежному театру:

— Просмотр был интеллигентным, грамотным.

Он определённо куда-то шагнул.

Хочет он или не хочет, но он уже на ступень выше того, что было.

Педагог:

— Он ещё не дотягивает. Ну что ж, это не страшно.

Нет ещё мышления, организованного напора.

Ну, для него это и не важно.

Ему важно учиться дальше.

И для чего он пребывает столь ярко и заметно в учебном процессе.

В потоке знаний ведь тоже как-то надо ориентироваться.

Он это явно, явно успевает.

Вот и Нонна Яковлевна проделала гигантский труд, и Николай Ефимович — огромную работу.

С ним много месяцев работал наш профессор по речи.

Ему, конечно, ещё надо подключиться самому. Он это знает!

А сейчас в присутствии его отца, нашего искреннего и доброго спонсора Геннадия Петровича, скажу — он будет актёром.

Мы ведь сами не торопим его...

Куда ему спешить...

Он ещё молодой.

Коллектив студентов и студенток у нас замечательный.

Мы ведь отбираем, Геннадий Петрович, тщательно.

У нас комиссия, конкурс.

К нам попадают очень красивые, вернее, талантливые девушки.

У нас уже все отобраны.

Ему не надо бродить по барам и дискотекам.

А учитывая состояние отделочных работ, завоз мебели в кабинеты, мы все усилия направим на диапазон образования вашего сына.

Без спешки, Геннадий Петрович.

Юра будет актёром...

Как только вы закончите отделочные работы в актовом зале, Юра перейдёт на второй курс.

На втором курсе программа будет сложней.

Оборудование сцены, осветительная аппаратура, звуковая...

Кабина помрежа, телефонная связь.

Мне приятно, что Юра сам чувствует, что у него ещё не всё хорошо.

И его волнение сегодня...

Вы же видели, он так ничего и не сказал — хотя это большой и непростой монолог Шекспира.

Ну, не будем обвинять Шекспира.

Хотя ему тоже не мешало бы...

Это всё-таки первый курс.

Можно бы и полегче.

Но наши педагоги на поблажки не идут.

Тем более вы, Геннадий Петрович, сказали, что хотите видеть сына великим актёром, и мы берёмся. Правда, педагоги? А ну, хором: «Берёмся»!!! Слышали, Геннадий Петрович?

Он будет великим, но нужно время, нужен спортзал.

Мы все видели фигуры наших абитуриенток после первичного, так сказать, отбора.

Конечно, им где-то нужно поддерживать форму.

И не где-нибудь, а в хороших руках.

Сегодня государство устранилось, только частные лица.

Только частные руки частных лиц.

Хула-хуп! Бассейн.

Недавно у вас на дне рождения танцевала сборная по синхронному плаванию, на дне бассейна.

Все в восторге.

Наши студентки лучше...

Они не хуже.

Они выше — у них ещё и актёрский талант.

Они, выпрыгнув из воды, могут ещё что-то сказать...

Но для этого нужна вода.

Нужен бассейн.

Нужна сауна, Геннадий Петрович.

Тем более что у Юры пока плохо с индивидуальностью.

Нет её пока...

Она будет, Геннадий Петрович, мы её найдём.

И лицо собственное у него будет.

Подберём что-нибудь.

Но это огромная вакханалия труда всех педагогов вуза.

Здесь не обойтись без зарубежного опыта.

Может быть, придётся пригласить лондонских профессоров.

Все вместе мы ему найдём индивидуальность, и своё неповторимое лицо, и свой особый почерк в искусстве.

Всё, что нужно для великого актёра, у него будет.

Мы ему ищем.

Он дорисует, сакцентирует.

Остальное мы в нём всколыхнём.

Он возьмёт зал, но зал, а не эту халабуду без огней.

Он, в сущности, танцор.

Мы в нём это развиваем.

Хотя негде абсолютно.

И скованность у него пройдёт.

Он так и не смог ничего показать и просто удрал со сцены.

Это чувство ответственности перед великим отцом.

Ваш приезд к нам вызвал вакханалию праздника, волнения и суеты.

А он танцор и будет им.

Но негде.

У нас нет танцевального зала...

Хорошо, будет проект, Геннадий Петрович.

Вы смотрите на Юру не как на свершившийся факт, а как на заявку.

Да, пока без результата.

Результата не достигнешь без мата, без зеркал, без трапеции, без трико, пуантов, испанских и русских костюмов.

Нам камзолы необходимы, маскарадные маски, сапоги...

Даже для чечётки нужны специальные накладки и помост.

Он будет бить степ.

Я всю жизнь бил степ.

И он будет бить степ...

Мы с ним вместе будем бить степ...

Видели «Вечер в Гаграх»?

Я тоже видел...

Юра тянется в искусство.

Отец Юры тянется в искусство...

Мы все здесь, как говорится, тоже тянем всех, кто тянется.

А при наличии новой крыши на здании, туалетов и особенно...

Почему Юра должен покрываться потом во время занятий?

У нас отобраны красавицы вокруг.

А Юра высокий, стройный парень.

Зачем ему потеть?

Кондиционер в кабинет директора, кондиционеры ведущим профессорам, а потом в будущий спортзал и актовый.

Ну, это проектом предусмотрено.

Это всё реминисценция, или, как сейчас говорят, римейк, сиквел и саундтрек.

Юра тянется к английскому, а у нас нет фонетического кабинета, аппаратуры, ларингофонов и зубоврачебного кресла.

А не дай бог, Юра осипнет.

Шекспир и Островский часто требуют крика в своих сиквелах.

Ему придётся воплощать на сцене драки, убийства, перекрывать рёв многотысячной толпы, сражаться с озверевшими монголами, а где у нас медпункт? Кто дежурит у аппарата для измерения давления крови и высоты тела?

Всё продали за долги — мой предшественник приватизировал медицинскую кушетку и бинты, зелёнку и кровоостанавливающий жгут.

А «Скорая» сейчас добирается позже, чем снегоочиститель.

И без медикаментов.

Медпункт в нашем деле главный, при наличии спортзала, актового зала, вечеров отдыха и актёрских театрализованных драк, и стилизованных мордобоев в общежитии.

Наверное, Юра захочет его посетить...

Общежитие.

Каждому хочется узнать, где толпятся отобранные нами таланты и красавицы.

Геннадий Петрович, я туда Юру не пущу!

Трупом лягу.

Прокрадусь за ним и выкраду, Геннадий Петрович.

Тараканы, крысы, мыши, девушки.

Кухня на этаж!

Вьетнамцы жарят селёдку — вонь до трёх вокзалов.

Внутренняя культура часто обгоняет внешнюю.

И на унитазы прыгают сверху, как козлы.

Ибо здоровье есть, а прицелиться нечем.

Геннадий Петрович, чтоб Юра не заболел, не заразился, не потерял остатки духовности, ему туда нельзя.

Туда можно пускать только за дополнительную плату — стоянка древнего человека.

Женщина, которая у них комендант, она же администратор, она же воспитатель и буфетчик — лечится непрерывно.

Просьба никому туда не заглядывать. Не СПИД, а спа на месте общежития.

Снести, Геннадий Петрович, к чёртовой матери.

Ради Юры — снести, место продуть авиамоторами и построить спа со встроенными телекамерами в каждой комнате.

Чистота будет зафиксирована.

Дерьмо будет иметь фамилию.

Не попал в унитаз — попал на ковёр.

Попал на ковёр — попадёшь в унитаз.

Ради Юры!

Геннадий Петрович, он чистый мальчик.

Так что начнём с туалетов.

Потом актёрское мастерство, творческая неповторимость.

Туалеты — это реминисценция нашей жизни.

В нашем недалёком прошлом, когда государство охраняло наше здание, как памятник архитектуры, обгадили всё.

Каждый пользовался, чем хотел и где хотел.

Сегодня, с появлением Юры и его великого отца, мы вправе требовать от себя культуры и этикета, включая отношение к еде, как к ритуалу.

Столовая, Геннадий Петрович, — предмет забот.

Студент театрального вуза сегодня — человек не без одежды и не без денег.

Мы ему задерём цены в столовой...

Но оборудование кухни: коптильня, холодильня, гриль, ну и пекарня, электрические мясорубочные машины, кремовзбивалки, овощерезки, электрические дуршлаги, смесители, соковыжималки и разного рода пневмодробилки.

Юра — парень молодой.

Аппетит у него будь здоров, а если с друзьями?

Почему бы ему с улицы не попасть прямо в столовую...

А если это не столовая, Геннадий Петрович, а знаменитый на весь округ круглосуточный ресторан «У актёра Юрика».

Как у Шекспира — бедный Юрик!

Да, Шекспир, «У Юрика».

Домашние колбасы, соленья, паштеты, овощи свежие, селёдочка, лучок, форшмак, соте овощное, рагу баранье, круассаны, барабулька жареная, колбаски, шашлычки из печени, из курочки, своя рыбка копчёная, своя кулинария в отдельном зале, вход с улицы, «Купи у Юрика» — компоты, окрошка холодная, борщ красный с чесночком и сметанкою.

Оркестр, цыганский хор студенток вуза, квартет профессоров, Геннадий Петрович, и спа, и телевидение своё со съёмкой сериалов.

А наш вуз при ресторане.

Это уже не вуз, а творческий актёрский городок, лечебно-профилактический диспансер на правах Академгородка при Министерстве культуры во главе с дирекцией.

И наш Юра.

Наш с вами Юра, Геннадий Петрович, будет почётным президентом.

Ура!

Господа!

Приятно думать, что не напрасно прожил.

Я вас любил, господа.

Любовь ещё, быть может, в душе моей... Поём все! ...Угасла не совсем!

# ГУБАМИ ГОВОРИТЬ

Потому что ничего нет лучше, когда вам шепчет в ухо что-то молодость.

Что-то шепчет, касаясь всеми своими губами.

Сопровождая какие-то слова тёплым дыханием.

Слегка щекотно и так приятно, что слушал бы...

Но слов не разобрать.

Сам процесс настолько...

И дыхание проникает настолько...

А там ещё смеются.

Это же, оказывается, анекдот...

— Ну, — говорят вам. — Смешно, правда?

— Да ещё как, — говорите вы, краснея. — А нельзя ещё раз концовку?

На вас смотрят удивлённо.

Но опять в ухо губами, и вы опять теряете сознание.

Будь в вашей власти, вы втянули бы в ухо всё это...

Вы силитесь понять...

А вам смеются внутрь тихонько и повторяют, чтоб вы поняли.

— Нет, не доходит, — говорите вы в надежде.

— Я третий раз не буду, даже для тупых. Сатирик, называется. Вы никого не смешите, кроме себя.

— Я... Да... Я не виноват... Я не расслышал.

— Глубже, чем в ухо, я не могу. Купите аппарат, сатирик, чтоб понимать хотя бы то, что говорят вам в ухо.

— Я понимаю по губам, — ответил я. — Но ваши губы следует прижать к моим и говорить. И я клянусь: я разберусь, я не тупой, я просто одинокий.

Одесса.

Окна были на улице, над землёй, сантиметров тридцать.

И все присаживались на уличный подоконник, выпивали.

Хозяева видели в своих окнах только задницы.

Ничего.

Мы привыкли.

Люди входят в ресторан и внимательно изучают ваши тарелки.

Не обращая внимания на вас.

— Здравствуй, Миша, — глядя в мою тарелку. — Как живёшь? — горящими глазами изучая отбивную.

Да я сам скажу, сколько это стоит, не мучайся.

Поговори со мной.

Наша демократия.

Наши руководители.

Поместили камбалу в аквариум, под который подложили шахматную доску.

Через некоторое время камбала стала клетчатой в чёрную и белую клетку при всей своей независимости.

Сегодня при таком количестве войн, ураганов, наводнений, бомбёжек, взрывов нельзя говорить: «Не повезло».

Надо говорить: «Тьфу-тьфу! Повезло мало. Тьфу-тьфу! Повезло меньше, чем вчера. Тьфу-тьфу! Совсем, совсем крошечно повезло».

Даже если ранило...

«Ещё чуть-чуть, и не повезло бы совсем».

Целую.

Доброта — дело наживное.

Жестокость — врождённое.

На мысль надо отвечать мыслью.

Парень-студент задал такой вопрос, что мы решили его вывести из состава студсовета, из профсоюза медработников и исключить из института.

Законопослушное свободомыслие.

У него одна особенность.

Чем ты внимательнее его слушаешь, тем он хуже говорит.

А когда ты полностью сосредотачиваешься на его словах — он замолкает.

Бросай его сразу, и он будет безвреден.

Нам говорят: «Сохраняйте достоинство».

Ждать можно с достоинством.

А как с достоинством догонять?

# ЧЕХОВ

Допустим, к большому чиновнику сегодня, допустим, явится А.П. Чехов и подарит, допустим, свою новую книгу с личной надписью...

После его ухода чиновник долго будет заглядывать под книгу, перевернёт, потрясёт, перелистает и скажет: «Вот тип... Где же содержание?»

Животные — это наше воображение, как и другие любимые.

Я хочу, чтобы меня любили безответно, страстно и немедленно.

Дальше я сам разберусь.

У нас сатирику помогают все.

Он не должен быть талантливым...

ТВ само говорит через него.

Исправления, вырезания из текста создают особую прелесть изображению и звуку.

Заикания, вздрагивания передаются слушателям в виде волнения и нагнетания.

Как легко творить в такой атмосфере!

— Миша! Рассмеши его так, чтоб он умер от смеха.

— Зачем?

— Мне это нужно. Ну, поверь. Ну, сделай. Никто не придерётся. Ты понял?

— Я не уверен.

— А я уверен. Давай вот ту, с матом... Квартиру я организую.

— Ты с ума сошёл!

— Никто не докажет. На глазах у всех человек хохотал, хохотал и сдох.

— Теперь пойми ты меня. Чтобы было смешно ему — надо, чтобы было смешно мне. А как мне будет смешно, если ты такое задумал. Я не выдержу, я ему скажу: «Приятель, что тут смешного? Не смей смеяться. Оно всё тупое и с матом. Я сам этого стыжусь. И пошёл вон, или уйду я».

— Это если он не будет хохотать?

— А если он не будет хохотать, тогда я буду думать, что это я стал бездарным. И умру я. И если ты рассчитываешь на это, то ты больше не приходи. Деньги я могу взять, но обязательства — никогда.

# ПРАВДА ИЛИ ТО, ЧТО ДУМАЕШЬ

Кто-то предложил:

— Давайте сегодня вечером говорить правду.

Наш главный друг, глава района, сразу сказал:

— Нет.

Мы говорили правду без него.

Переругались через пятнадцать минут.

Я говорил сначала одной женщине:

— Я тебя хочу.

Потом — другой.

Мы говорили то, что думаем, и как-то так вышло, что все выглядели неприглядно.

С тех пор не собираемся.

Всё-таки то, что думаешь, — одно.

А правда — совсем другое.

# УНИТАЗ, НАТО, СОЧИ

*(Угроза Олимпиады)*

Там, где наши люди... Когда хотели... Где приспичило, там и облегчались — на дерево, на забор, расписывались на снегу, — теперь поставят унитаз.

Всё!!! Страна присоединилась к европейской конвенции об оформлении облегчения мочеиспускания.

Виват.

Со вступлением в ВТО придётся мыть то, что вытирали.

И стирать носки ежедневно.

Иначе не возьмут.

А с Олимпиадой в Сочи ещё сложнее.

Всем постричься.

Бабкам ноги помыть, поставить их на каблуки и золотые зубы закрасить.

Мужикам костыли покрасить белым.

В гастрономах усилить ассортимент.

На вокзалах не пить.

Уезжать по расписанию.

В вагонах освежитель воздуха...

Дыхание свежее, ароматное.

Пить дома. Закусывать анчоусом и сыром.

Селёдку, капусту, огурцы — выбросить.

Первый самогон — штраф, второй — суд.

Никаких криков: «Пацаны, завтра в пять!»

Контракт!

И попробуй не прийти — придёшь с адвокатом.

Сочинским водителям при ДТП выйти из-за руля, руки на капот, ноги расставить... А дальше — как повезёт.

И все в галстуках круглосуточно.

И принудительные пробежки по утрам.

Крепкие толкают слабых.

И гольф — поголовно.

Гольф и ланч. Поголовно.

Утром — яйца и сэндвич...

Нет яиц — каша и круассан.

Нет круассана — каша и сок.

Нету сока — каша и газета.

Нет каши — радио и вода.

Нищие на улицах — только по-английски: «My mother dead» и так далее.

Все встают в шесть утра.

Есть работа — на работу.

Нет работы — ложись опять.

Думай о победе наших.

Не знаю, как насчёт победы, но материально, конечно, многим будет хорошо.

Как сказал мой друг:

— Там у меня серьёзно. А здесь постоянно.

До сих пор думаю над этим.

В советское время из отходов производства комсомольцы Кировского завода построили трактор К-701.

От вашего имени нашего съезда партии...

Спасибо, участники.

Нам есть чем поблагодарить вам...

Аплодисменты, друзья.

Я в мужчинах здорово разочаровался.

И живут недолго.

И беспомощны.

В лифте отсекло его от жены, он заполошился, закричал: «Галя! Галя!»

Все его успокаивали.

На один этаж без неё подняться не мог.

А вы говорите, где-то есть лётчики и космонавты.

— Дай, я его ударю.

— Подожди...

Вот смотри, ты его ударишь...

Я набросаю схемку...

Ты его ударяешь.

Он не отвечает.

Он набирает свидетелей.

Собирает у них подписи.

Подаёт в суд.

Тебя вызывают в суд.

Заседание через месяц.

Ты нанимаешь адвоката.

Месяц собираешь деньги.

Сам не свой.

Тебе объясняют, что тебя ждёт в одном случае, в другом случае.

Ты...

— А если он отвечает на удар?

— Тогда схема такая...

# ЗАЛ ОТВЕТИТ

**Я** перед залом стою.

Для чего?

Аплодисменты?

А если нет?

Думал, думал.

И вдруг сегодня, 15 апреля — сообразил!

— Отзыв!

Хор не поёт фальшиво.

Я скажу залу, и зал скажет мне.

Больше спросить не у кого.

Настолько жалобный вид у пишущего спрашивающего меня о себе!!

Так не хочется его добивать.

Думаешь: «А я кто такой? Я литературовед, театровед, эксперт или шеф-повар?!»

Кто я такой, чтобы судить, пересолено или нет?

Ну мне не понравилось.

Всего лишь мне!

Это всего лишь я!

А там он.

И он спрашивает.

И он заслуживает.

Сколько раз мы у него обедали.

Он у нас.

Мы у них.

Я у него.

Мы у нас.

Неужели он предвидел?

Нет, нет, нет...

Уж предоставьте мне судить, как отзываться.

Насколько я знаю... люди, более чем я... уже... это совершили... то есть отозвались...

Что же, я сыграю в белую ворону?

Ну, мне там...

Ну, я там...

Какое-то время поскучал...

Я не голодал или замерзал.

В тепле, уюте. Несколько отвратительных часов.

А как потом радостно увидеть жену, ребёнка, собаку, сериал.

Всё пошло, как по маслу.

Кстати, колоссальная польза от собственной сдержанности.

Никогда не пожалел о добрых словах в любой адрес.

И долго мучился от, казалось бы, правды.

Сколько раз внушал себе:

— Ну хорошо, скажи в тряпочку и заверни.

Развернёшь когда-нибудь и покажешь:

— Видите, я был прав.

Можешь даже статью написать, но не показывать.

Правдивых мало.

Наивных много. Они это чувствуют.

Им не звонят...

Почему я должен быть в этой похоронной команде?

Есть общество.

Есть специальные люди.
А главное — есть зал.
Ты ему скажешь.
И он тебе ответит.
Зал ответит за свои аплодисменты.
Либо признает и получит удовольствие.
Либо крупно напишет ответ пустыми стульями.
И только потом окажется, что и зал ошибся...

— Скажите, а вы можете приготовить утку с яблоками?

— Что-нибудь придумаем.

— Так вот её и придумайте.

Что значит выпить?
Он не понимает, что он говорит.
Я не понимаю, что я говорю.
Но мы понимаем друг друга.

В Одессе я вошёл во двор, там сидели две дамы в купальниках. Они закричали: «Как вам не стыдно!»

Я вышел растроганный.

Сейчас разве кто-то так кричит?

Разве кому-нибудь бывает стыдно?

Женщина за рулём — что пешком.

Стиснув зубы, преодолевает бордюр.

Задыхается на подъёме.

Приподымает юбку, въезжая в лужу.

Вытирает лицо платком, когда обрызгивают лобовое стекло.

Полное слияние с автомобилем.

И лёгкое непонимание его устройства.

# ГОВОРЯЩЕМУ СО СЦЕНЫ

Чем отличается написанное от сказанного?

Главным — написанное можно пропустить, от сказанного не уйдёшь.

Тяжёлая штука — слушать сказанное: не ляжешь, не отдохнёшь, не заткнёшь его.

Он говорит. Ты сидишь. Ещё заплатил за его говорение. Это подразумевает, что ты получаешь удовольствие. Хотя на твоём лице отвращение. Отвращение на всём протяжении сказанного.

Ты спокойно интересуешься у говорящего: «А я могу это где-нибудь прочитать?» — намекая на то, что тебе это хочется выбросить, хотя ему кажется, что ты собираешься это изучать. «Нет, — говорит он с гордостью, — это пока только в устном виде». — «Жаль, — говоришь ты, — искренне жаль, хотелось бы подержать это в руках». — «Но вы можете записать это на магнитофон». — «Конечно», — говоришь ты, содрогаясь и представляя, как ты выбрасываешь дорогой аппарат.

Вот за что люди так ценят написанное, переплетённое. На помойку идёт труд сотен людей: истории, случаи, громыхающие столкновения, убийства.

Из жизни перетаскивают в литературу. Из литературы — в жизнь. Уже без запаха, без волнения, без крика матери.

А если осядет в голове как сказанное, как увиденное — вы никогда не избавитесь от этого. Вы будете мотать долго головой: «Я же это слышал собственными ушами», — будто это о чём-то говорит.

## ЧТО ТАКОЕ, ГОСПОДА?

Нам капиталисты стали поставлять не всегда качественные товары. Их надо ремонтировать, надо бегать, волноваться. Что такое? Это же заграница! У них должно быть безотказно.

Мы же на них надеялись.

Мы же на них рассчитывали.

Мы же им верили.

Как же? Что же? Нам, что ли, производить? Вы представляете? Я вообще не представляю. Это же замкнутый круг. Это хуже, чем раньше... Раньше нашего не было, а там было не достать. И всё в порядке: значит, памперса не знаем, стираем в тазу — всё в порядке.

А сейчас же другое дело. У нас нет по-прежнему, а там — низкого качества.

Куда бежать?

Я надеюсь, они не доведут нас до того, чтоб мы сами кондиционер клепали. Мы же хотим жить как люди и одеваться как люди.

И питаться как люди.

И умываться как люди.

И развлекаться как люди.

И кататься как люди.

И лечиться как люди.

А отечественными разработками ни питаться, ни лечиться, ни одеваться, ни умываться, ни кататься — только разбираться.

Господа, держите качество, не доводите до крайностей. А эти жалкие попытки заинтересовать? Кого?.. Нас?.. Чем? Деньгами?

Нас не запугаешь и не заинтересуешь.

Копать не любим.

Производить не можем.

Долго что-то делать — не хотим.

Невысоко, неглубоко и быстро — пожалуйста, и то если этим потом не пользоваться.

А если пользоваться — это надо как-то всей страной одну штуку, и чтоб на один раз, и чтоб потом никаких претензий.

Опять и опять говорю — мы уже с удовольствием не работаем. И с удовольствием наблюдаем за беспомощными попытками нас заинтересовать, мобилизовать и запугать.

Господа! Позвольте, позвольте пройти в Европейский союз... Как туда?.. Прямо и направо?.. А говорили, налево... Ну, народ.

Надо проверить, почему в выходные Москва пустеет, и внедрить это в будни.

На пустынном берегу шептались две девушки.

Как говорят в Одессе: я вчера получил такое удовольствие, чтоб не дождаться умереть.

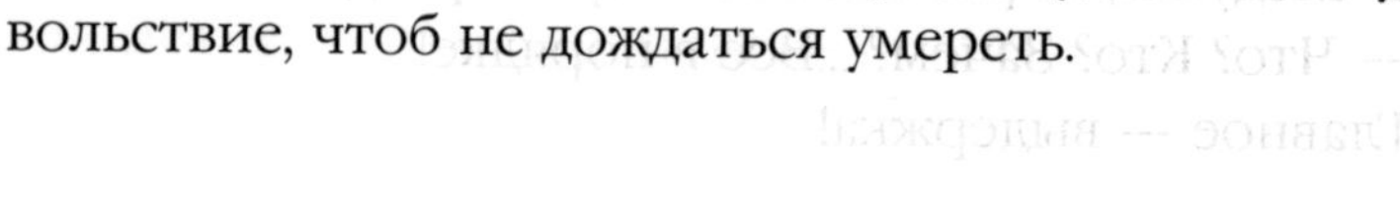

— Может ли быть умный таким бездарным?
— Может. Если он не заинтересован.

Хорошая у тебя работа, депутат.
Рот закрыл, и ты свободен.

Государственная экономика такая: что бы ты ни сделал, ты получаешь от мамы рубль на конфеты.

Капитан:

— Круиз. Поселили случайно двух мужчин и двух женщин в одной каюте. Крики, протест... Я являюсь до отхода, говорю: «Не волнуйтесь. Потерпите одну ночь. Я вас расселю».

В следующий раз являюсь через три дня.

— Что? Кто? Зачем? ...Всё в порядке!

Главное — выдержка!

Я делал карьеру.

Он мне завидовал.

Он рвался.

Он подражал.

Он списывал.

Тогда я специально для него сделал ошибку.

И он отстал на пять лет общего режима.

— Папа, ты видел?
— Да, Митя, наш пёс — левша!

В чём разница между мной и чиновником?
Мы оба сидим за столом.
Только я просто сижу, а он — должен сидеть.

Принял яд и передумал.

По стране хлопки, похожие на аплодисменты.
Это лопается терпение.

Когда мужчина говорит: «Я люблю женщин», — он любит себя.

Когда он говорит: «Я люблю эту женщину», — он любит её.

Он ошибался только в людях, остальное мог предвидеть.

Я за то, чтобы внести в Библию: у каждого из женатых четыре ноги, два сердца, две головы.

В итальянском кафе плакат.
Где очень просто написано.
Иисус Христос — еврей.
Твоя машина — немецкая.
Твой телевизор — японский.
Твои деньги — американские.
Демократия, при которой ты живёшь, — греческая.
Кофе, который ты пьёшь, — бразильский.
Берег, куда ты едешь в отпуск, — турецкий.
Цифры, которые ты пишешь, — арабские.
Буквы твои — кириллица.
Почему же твой сосед не может быть другой национальности?

Что у нас не изменяется — это перспективы.

Когда мы сняли чадру — не мы увидели мир, а мир увидел нас.

# ГУСМАНУ ОТ ЖВАНЕЦКОГО

Дорогой Юлик Соломонович!

Своим 60-летием ты нас не испугаешь, хотя, конечно, неприятно...

Ну, ведь и все другие туда ползут.

А некоторые ползут дальше и быстрее.

Мы все на постоянном расстоянии друг от друга.

Так и ползём от «Ники» до «Ники», от колита до гастрита, от компромисса до ишиаса.

С горячей закуской и остывшей любовью.

В этом состоянии нас радуют только результаты анализов.

Держи взгляд и береги юмор!

Остального не жалко.

Обидно, что это настигло тебя как раз в расцвете духовных и растрате физических сил.

Внезапность даты потрясает.

Ты один из немногих, с кем хочется говорить и у которого, отфильтровав шутки и ужимки, можно выцедить смысл.

Вот скажи мне, кто следит за балансом в нашей жизни?

Сейчас, когда столько всего в магазинах, стало не хватать взгляда, слова, тёплого рукопожатия и простого: «Ты где пропадал?» — чего было так много, когда не хватало еды и одежды.

Видимо, засыпаны мы последними известиями, которые никак не становятся последними.

И опять возникли очереди.

Чтоб просто подойти к другу...

К тебе, Юлик, и, разгребя бессмысленность, ухватить твою руку и сказать:

— Поздравляю, мой дорогой!

Будь всегда неподалёку.

Как и я.

Твой

Жванецкий.

## ЦЕЛЬ

Все оглядываются.

Воробей сядет на балкон и оглядывается.

Ест и оглядывается.

Пьёт и оглядывается.

Летит — не оглядывается. Потому что надо лететь.

А сидит — оглядывается, чтоб не напали, не сожрали... Кто? Да любой...

Он же маленький, а все большие.

И орёл — большой — тоже оглядывается... Зачем? А чтоб сожрать кого.

Кого? Да любого.

У него в глазах: «Где тот воробей?»

А воробей: «Где тот орёл?»

«Где тот кот?», «Где тут все?»

Человек оглядывается часто и подолгу. Разбогател — оглядывается, чтоб не украли. Обеднел — оглядывается, чтоб украсть.

Олигарх оглядывается всегда и везде. В машине, в постели — везде оглядывается и переспрашивает: любит или врёт? Предан или предал? Купил или продал? Кому доверять? Где прокуратура? Где таможенники? Откуда ждать силовика?

Прокуратура оглядывается: где? кого? куда? А за что — это наша забота.

Власть оглядывается: кто хочет меня? Кого хочу я? Какая сволочь претендует? Кто с полным желудком? Все голодают... Допросить, чтобы быть в безопасности.

Оглядывайся, чтоб прибить.

Оглядывайся, чтоб уцелеть.

А чтоб цели добиться — не оглядывайся.

Иди прямо и смотри прямо.

Если есть цель — уставься и всё делай.

Ешь, не отрывая глаз от неё.

Это как за рулём.

Когда в узком месте на цель идёшь — пройдёшь в миллиметре.

Когда просто оглядываешься без цели — себя подставишь.

Иди прямо и смотри прямо. Ты глаза не отрывай. А руки сами работу сделают.

# Я ЗА ЖИЗНЬ БЕЗ ЦИФР

Жизнь прекрасна без цифр. Всё, что выражают цифры, — всё мне не нравится. Это конфликты с друзьями, с соседями.

Это тайные вздохи и ваша внезапная мрачность.

Это пересчитывание ночью шёпотом.

Это килограммы на весах, это минуты на часах.

Это дроби гипертонии, это пульс, диоптрии, анализы, растраты, долги и проигрыши в казино.

Это зарплаты, пенсии и продолжительность жизней, это штрафы, нарушения, цены на базаре.

Что вам из этого нравится?

А часы приёма, время работы и количество взятки?

Всё, что в цифрах, чревато скорым концом или крупными неприятностями.

Есть и радости, конечно, но они такие скоротечные, такие мелкие и, главное, втягивают вас, приучивают, развивают привыкание к цифрам.

Вы от своих цифр перебрасываетесь к чужим, мечетесь между своими и чужими цифрами.

И они вас убивают — и свои и чужие. Вас убивает сравнение.

А тот, к чьим цифрам присматриваетесь вы, тоже присматривается к чьим-то цифрам.

Ну, казалось бы, ему-то зачем, а тоже не спит, тоже переживает, свои сравнивает, страдает, губами во сне шевелит, проценты, доли во сне делит-вычитает.

Разве успокоится он когда-нибудь?

Когда-нибудь? От чего-нибудь?

Тот, кто ушёл в цифры, разве перейдёт к жизни слов, снов и прикосновений?

Не перейдёт он.

Мир цифр — мир наркотический.

Зависимость обоюдная.

Ты страдаешь от них, они страдают от тебя.

Господи! Да война — это цифры.

Война — это война цифр.

Человеческие крики за цифрами.

Человеческие раны за цифрами.

Кто управляет нами — управляет цифрами.

За цифрами стоят, сидят, лежат больные, здоровые, раненые, озверевшие и ставшие одинокими.

Да он разве видит?

Да он разве расстраивается?

А за кого переживать?

Там же цифра «один» встречается, только когда он говорит о себе.

О всех других пошли нули.

Количество нулей убитых и взорванных.

Эти нули строем идут, в грузовиках едут, в подлодках тонут и даже в театрах аплодируют. Пока...

Пока не загремел мир цифр, все мы стоим, лежим, любим и детей держим в строгости — для следующего поколения цифр.

Как цифры потоком — значит, война, значит, кончились личности, закончились арии, смыслы, метафоры и колыбельные.

Эй, нули, Родина вас зовёт вперёд!

## МЫ У НИХ

Самая изощрённая фантазия иностранных режиссёров нашу жизнь воссоздать не может: они не знают грязь, покрытую толстым слоем лжи, или ложь, покрытую слоем грязи.

Настороженность и радость при виде того, что плохо лежит.

Или женщин, перетаскивающих рельс.

Или лёгкую немытость под смокингом.

Или грязный «Роллс-Ройс» с мигалкой.

В этом больше смысла, чем в многодневной поездке по Сибири.

Это туалет в огороде. Без задней стенки.

Мол, всё равно к реке выходит, то есть забота об окружающих, не о сидельце.

Как показать нас в виде прохожих, когда мы прохожими не бываем.

Мы ищем! Еду, деньги, справки, документы, одежду, лекарства.

Мы поём то, что наши музыканты заимствуют у них.

Как же их режиссёры выйдут из этого положения?

Что же — они будут показывать свою копию, превращённую в пародию?

Они думают, что мы над ними смеёмся.

А мы не смеёмся — мы так подражаем.

Это у нас такой джип, такой фильм, как у них, такая песня.

Это наше, хотя и ихнее.

Долго поливать грязью, а потом создать такое же, но хуже, и уже окончательно возненавидеть ихнее.

Как это всё показать, раскрыть, понять?

А будто в Советах мы не выкрадывали чертежи, формулы, изделия и, копируя, делали настолько хуже, что сам Сталин орал: не трогайте, копируйте все-все дырки, все трещины, потому что у вас работать не будет.

Так говорил кумир нации её элите...

Поэтому! Ах, поэтому, опять и опять — царские генералы, статские советники и что-то ещё, одетое не как все, дикое ретро в соболиных шубах.

И они, изображая нас, становятся абсолютно ненормальными.

У них в кино мы придурки.

И вроде даже их героев ловко преследуем и обманываем.

Мы там — они придуманные.

Так как, приступая к нам, они сами теряют человеческий облик и надевают на нас всех какие-то погоны, галифе — такие мы у них злодеи в сапогах от Диора и в гимнастёрках от Версаче.

То есть, изучая жизнь в России, ты или изучишь и подохнешь, или подохнешь, но не изучишь.

Повторяюсь.

Нам нужно жить отдельно.

Отдельно петь, пить, читать и говорить.

Что мы и делаем.

Пока мы не начнём медленное взбирание, которое когда-нибудь назовут восхождением.

# НА ПРИЁМЕ У БОЛЬНОГО

Чтобы успокоиться, нужно говорить не с вашим лечащим врачом, а с его больным.

И сразу — то ли оттого, что он жив ещё, то ли оттого, что он не знает, что с ним, то ли оттого, что он не хочет знать и вообще рад видеть кого угодно, вы мгновенно успокаиваетесь и понимаете, что паниковать надо было раньше, и вспоминаете, что паникёры — очень здоровые люди, редко попадающие в пожар, наводнение, воровскую компанию или алкоголизм.

Так что ваша компания — не врач.

Ваша компания — его больной.

С вашим диагнозом.

Целую.

# ТАКОЕ СОСТОЯНИЕ

Это я внутри произнёс с грузинским акцентом.

— Слушай! Я ехать дальше не хочу. И домой не хочу. И спать не хочу. И кушать не хочу. И пить не хочу. Ничего не хочу.

Вот такое состояние.
И здесь сидеть не хочу.
И там сидеть не хочу.
И читать не хочу.
И писать не хочу.
Я вообще устал хотеть.
Ничего не хочу.
Вот такое состояние.
Никуда не хочу.
Умирать не хочу.
И жить не хочу.
Вот такое состояние.
Что посоветуешь?
Какие лекарства?
Против чего?
Против меня?
Что — револьвер?
Умирать не хочу.
Я ж не идиот.
И жить не хочу — тоже потому что не идиот.

С кем встречаться?
С врачом?
Что он мне скажет?
То, что ты?
Лечиться не хочу.
И болеть не хочу.
Я же сказал, я не идиот.
Это такое состояние.
Телевизор смотреть не хочу.
Ты говоришь — не смотреть.
Я не смотрю.
Вот это твои советы?
Что ещё посоветуешь?
Где жить?
За границей — не хочу.
Здесь не хочу.
И сидеть на месте не могу.
И ехать никуда не хочу.
Музыку? Где? В консерватории или в больнице?
Всюду не хочу.
От любой музыки у меня синяки.
Я не знаю, куда выйти, чтоб там музыки не было.
Они все поют, чтоб выйти замуж.
Ты думаешь, это не слышно?
Вышла замуж и опять поёт.
...Хиты...
Хиты слушать не хочу.
Бренды видеть не могу.
Полемику слушать не могу...
Лучше жить не хочу.
Хуже жить не хочу.

Умирать не собираюсь.

Пусть поют дальше.

Хиты. Из трёх букв.

Машину? Для чего?

Часами стоять — хиты слушать?

Полемику слушать?

Для чего машину?

Радио слушать?

Я уже не знаю, где полемика, где диспут, где демократия, кто прав, кто неправ.

За что он хочет, чтоб его избрали?

За голос? За шутки? За пиджак?

Куда я за ним пойду, если он сто лет на месте камнем сидит.

Он выборы выиграл — пропал, проиграл — пропал.

Он всё равно пропадёт, зачем я ему нужен?

Купить машину, чтоб его слушать?

Не хочу. Ни видеть его, ни слышать его, ни знать его не хочу.

Вот такое состояние.

И к врачу не хочу.

Я только что от врача.

Он сам в таком состоянии.

Кому, говорит, отдать твои двадцать долларов, чтоб меня успокоил?

Он меня спрашивал, что я ему посоветую.

Я просил его пока деньги взять.

Он взял.

Хотя расстроился.

Потом ещё взял и нашёл у меня крупное недомогание, которое лечится только у него, но в Англии.

Я ему обещал.

Он не поверил.

Хотя мне в глубине души кажется, что моё здоровье его не волнует.

Он тоже сказал, что ничего не хочет.

Вот такое состояние.

Может, близких предупредить?

Не могу сказать, что у них другое состояние.

Женщины более живые, поэтому живут дольше и в это состояние приходят позже.

Но многие также сели за руль и стали торопиться, хотя их там никто не ждёт.

Они всё от нас боятся отстать.

А я боюсь, как бы они раньше не приехали.

Очень как-то рьяно они жить взялись.

Уже не знаю, кто нас провожать будет.

Очень хочется чего-то захотеть и ради этого чего-то сделать.

Может, он сверху нас наконец увидит и какое-то задание даст.

Без задания мы уже ничего делать не будем.

Спасибо! Как ты догадался выключить свет? Я бы не догадался.

Жить в доме, зная, что ты для кого-то невыносим, — это демократия.

Выгонят — диктатура.

Морду набьют — кровавый режим.

Посадят — тоталитаризм.

Законопатят дверь — душат свободу.

Слушай, а кто-нибудь пробовал исправиться?

Кого-то слушают.

А к кому-то прислушиваются.

Умеешь ли ты писать интервалами, паузами, безмолвием и тишиной?

Научись и будешь любим.

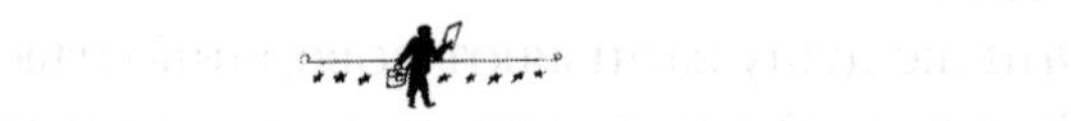

Покрытое грязью животное погибает.

Только человек может отмыться.

## ЛОШАДЬ, СОБАКА, КОТ

**Я** сегодня взял лошадь под уздцы и держал.

Она ткнулась мне в рукав.

Пососала пуговицу.

Ещё ткнулась...

Переступала, вздыхала, трогала мою пуговицу, и я такое доверие почувствовал.

Обидь её при мне...

Попробуй...

Становятся всё ближе — лошади, коты, собаки.

Я доверяю им, они — мне.

Мы вместе.

Маленькая собако-кошечная компания во главе со мной и лошадью.

Мы идём куда-то.

Только я, один я должен их накормить.

Я должен.

Они защитят меня.

Всё остальное должен я — приютить, объяснить, вылечить.

Они же душу занимают доверчивостью своей.

Мы прижмёмся и согреемся, и они уснут.

Я не смогу.

И у большой лошади, и у маленького кота никого нет, кроме меня.

Как же я усну?

Я буду лежать и думать.

# КОТ МАКС

Я знаю кота, который содержит довольно крупную научную семью.

Он очень породистый и красивый.

В общем, к нему приносят для любви разных кошечек.

Он их любит и за это берёт ровно 200 у. е.

Но случился скандал: вносили одну кошечку и тут же выносили другую.

И они встретились.

Хозяева Макса долго извинялись.

Хозяева Ксюшечки были возмущены.

— Это что, публичный дом? Это безнравственно! Это аморально и не по-человечески. Стыдно так таскать одну за одной. Что это за чудовище такое? Грязный пахарь! Ксюша — девушка.

Но оставили их наедине.

Затем, ворча, забрали.

Кот, кстати, равнодушно отпустил, забыл, уткнулся в миску...

А где взять силы — такую семью тянуть?

После скандала заработок слегка упал — среди людей есть сволочи, есть завистники.

Но популярность возросла.

# КОТ МОРИС — ИЗБИТ

На даче коту:

— Морис, сейчас же вернись! Не возникай у забора! Побили тебя вчера. Ты такой большой, красивый, романтический, образованный.

А он маленький, грязный, но истерически храбрый.

Тебе его жалко, тебе себя жалко.

А для него тело — это не тело, это для него камень, это для него палка, его тело.

Ему его не жалко.

Он бьёт тебя этим телом, как палкой.

Ему почему-то не жалко его сломать, потерять.

Он не думает ни о чём, кроме тебя, красивый, образованный, домашний кот.

Ему не себя важно прославить, ему тебя важно убить.

Он телом — как камнем.

А ты забился в угол.

— За что?

Мы даже не знакомы.

Кто вы такой?

Почему вы меня так свирепо, так безжалостно бьёте?

— А чтоб ты, сука...

— Что? Что?

— А чтоб ты, сука...

— Ну что? — кричишь ты, отползая в угол...

Только удары и никакого ответа.

Пока кто-то большой, сильный, похожий на человека, хотя и лысый, ногой не ударил этого зверя.

Тот вцепился в ботинок, но, получив второй удар, успокоился и побежал к забору.

Вот так, Морис.

За что-то бьют редко.

За что-то бьют слабо и дома...

А на улице на глазах у всех бьют сильно и ни за что!

Не переживай!..

Когда ты пишешь дома, ты должен быть талантливым и умным.

Когда ты стоишь на сцене, ты должен быть смешным и обаятельным.

Когда ты сидишь с друзьями, ты должен быть разговорчивым и добрым.

Когда тебя встречают на улице, ты должен улыбаться и фотографироваться, обняв пыльного прохожего.

Когда ты пьёшь в ресторане, ты должен не пьянеть.

Вы не скажете, зачем мне всё это нужно?

Воробей — это орёл, выросший в неволе.

# ВТОРОЙ ЭТАП РЕФОРМ

Выборы сегодня, как беспроигрышный советский заём или перепись населения.

Никого не переписали, но общее количество откуда-то узнали. Видимо, из доносов.

Все знали, что от выборов выиграют, но когда и кто — неизвестно.

Теперь наша задача проще — чтобы от деятельности руководства страны никто не пострадал.

Социальные проекты можно выполнить, можно не выполнить.

Главное — чтоб люди не пострадали.

Золотые запасы пусть гигантски растут.

Главное, чтоб люди наши не стали жить хуже.

В парламент толпой — артисты, футболисты, штангисты, силовики.

Мы с радостью, лишь бы остались целы дети, старики и немощные спортсмены.

Зарплата пусть втрое больше.

Лишь бы гражданам что-то досталось.

Опрашивайте хоть каждый день. Кого хотите. Многие назло говорят, что им хорошо, многие назло говорят, что им плохо. Даже я правды не скажу, если по телефону вдруг:

— Кто в вашей семье смотрит телевизор?

— Когда?

— Сейчас.

— Прямо сейчас, днём?

— Да...

— Кто смотрит... Все смотрят!

— Это сколько у вас всех?

— Сто.

— И все смотрят Первый канал?

— Все... С наслаждением.

— А второй?

— С наслаждением.

— А третий?

— Я ж тебе сказал.

— А что именно смотрите?

— Та всё... Не отрываясь!

— А вы не подскажете, дети среди вас есть?

— Вот вы и подсказали.

— Сколько?

— Все.

— Что смотрят?

— Не отрываясь!

— Что?

— Всё!

— Вау! — мяукнула опросчица и побежала докладывать.

Я думаю себе: «Пиши что хочешь. Только людям не навреди».

Подлодки нужно строить?

Нужно!

Ракетами стрелять нужно?

Нужно!

Границы укреплять нужно?

Нужно. Причём в обе стороны.

Всё нужно, если внутри страны никто от этого не пострадает.

А так как они страдают ото всего, то им и не поможет то, от чего они не пострадают...

Теперь надо думать: что им поможет, если они не пострадают от всего?

Это уже второй этап реформ.

А вы лечили геморрой в больнице Управделами президента?

Сходите, получите удовольствие.

## УЖИН В РЕСТОРАНЕ

Он соображал хорошо, но мало.

И только в одном направлении...

Поэтому он нас всех одевал, кормил, поил, обогревал.

А мы гордились своим умом и душой.

Пили за его счёт.

Говорили о нём гадости.

Хотя в лицо боялись.

А он однажды не заплатил за всех.

Однажды в ресторане.

Напрягитесь и представьте.

Что тут началось!

Недоумение. Растерянность. Злость... Ужас.

Где он? Как ушёл?.. Извините.

Что, его нет?.. Точно ушёл?

Может, вышел? И машины нет... Нет... Он вернётся?

Ждём.

Разговор не получается.

Ждём в тишине.

Я иду на тротуар, унизительно объясняя, что сейчас вернусь.

Позвонил ему.

Он сказал, что ложится спать...

Я спросил: «А как же?..»

Он ответил, что хочет спать...

Начали собирать деньги...

Таких проклятий никто из нас не слышал давно.

Нам с женой привёз деньги её дядя...

Кто-то звонил кому-то, просил в рассрочку.

Большие деньги оказались.

— А зачем ты жрал дорогое вино?! — заорал я.

— Не дороже твоей фуа-гры, идиот.

— Какая сволочь расковыряла омар?

— А я сейчас вырву, — заплакала самая красивая чья-то.

— Вырви. Но денег тебе не вернут.

Два инженера засовывали руки в карман и говорили:

— Сейчас... Минуточку... Сколько, вы говорите, с нас? Мы практически ничего не ели... Мы только квас...

Часы, галстук, пиджак.

Пиджак, говорят, до сих пор не забрали.

Теперь мы боимся отвечать на его приглашения.

Он потерял нас.

Мы потеряли его.

Кто больше потерял — до сих пор не знаю.

## СПАСАТЕЛЯМ

С Новым годом, братья, сёстры и дети их!

Счастливы будьте!

Поощряйте ум друг в друге, отмечайте хорошую физическую форму у мужчин. Фигуры у женщин. И обязательно сообщайте им.

Попадётся спасатель с чувством юмора, не гоните его. Обогрейте, накормите. Он и так страдает от этого недостатка.

Терпите умных! Они уже знают, что дни их сочтены, и ведут себя непонятно, агрессивно, плюются, отказываются долго говорить матом.

А может, кто-то из них воспитание получил?

Время было такое.

Можно было и получить.

Любите молодость в «Комеди клаб». Ребята на взлёте. Если их не поймают и не оборвут перья, они ещё сделают много хорошего. И помните: мы живём в такое время и в таком месте, когда никто никому ничем не обязан.

Один по долгу службы тонет. Другой по долгу службы его вытаскивает. Кто кому помог, неизвестно. Население в массе своей жить, конечно, хочет, но не очень сильно. Так и не получив точных данных о царствии небесном, покупает и покупает автомобили и мчится к отсутствующей цели в море машин.

Скоро будут прокладывать дороги поверх машин, что откроет горизонт и решит много вопросов.

В советской жизни были свободны мозги, ибо все подчинялись кому попало. Настроение было, на голодный желудок, прекрасным. Сегодня мы добились того, о чём мечтали. Теперь мечтаем о том, чтобы вернулись мечты. Но сытый не поёт, а рыгает. А средний пробег мечты где-то 70 тыс. км.

Слышу: «Что-то вы стали злым, Миша. Что-то вы стали печальным, Миша!» Да никогда! Сутками мучаюсь, чтобы попроще, покороче, повеселей. Но хочется что-то сказать. О чём-то...

Разговаривать умею! Не умею поддерживать разговор! Извините...

А как усидишь среди начальства: фамилии, фамилии, фамилии. Этот передал этому... этот не передал этому... фамилии, фамилии. А меня тянет обобщить. А обобщений люди не переносят: им кажется, что размер бедствия от этого увеличивается.

А вы — будьте удачливы! А вы — будьте здоровы! Обязательно помогайте там, где можете.

Кроме вас, спасать нас некому. Скажем спасибо населению, что оно пока разрешает себя спасать. А вдруг само возьмётся? Не дай бог. А если откровенно, надо спасать душу. За ней потянется тело. А вы — будьте счастливы. И я с вами!

# НЕТ ПЕРСПЕКТИВ

Тот, у кого нет никаких перспектив, — добрее.

Он лучше слышит.

У него свободна голова.

Конечно, он ничем помочь не может.

Но как слушатель...

Советчик.

Передатчик.

Выпрямитель.

Успокоитель.

Он вызывающе противоречаще согласный.

Вежлив.

Тот, у кого нет никаких перспектив, умеет многое руками.

Он сносно пишет.

Играет на рояле.

Знает массу анекдотов.

Он дико дружелюбен.

Распространяет поцелуи.

Рукопожатлив, улыбчив постоянно.

Направлен в прошлое, откуда шла его перспектива.

Всё помнит: книги, телефоны, имена.

Тот, у кого нет главного, довольно много знает.

Со всеми дружит.

Всем помогает.

Всё понимает.
Бывает всюду.
Много читает.
Всех встречает.
Со всеми пьёт.
Всех кормит, лечит, принимает.
Но не понимает, что у него нет никаких перспектив.

Богатство в России напоминает стояние в пробках на очень дорогом авто.

Конечно, хорошо жить до ста лет.
Но где взять столько денег?

Мы же хотим:
ездить, как люди,
зарабатывать, как люди,
жить, как люди.
А расскажешь, как люди живут, — тебя готовы убить.

Прибой родил джаз.

Морской ритм во всём.

В музыке, в дизеле, в паровой машине.

В сексе, в шагах.

Спаренные паровозы, запряжённые в огромный состав, говорили друг другу:

— Давай-давай!

Потом ещё раз:

— Давай-давай!

Потом с разгона:

— Давай-давай-давай-давай-давай... Эх-эх-эх... Давай-давай-давай...

— И пошёл-пошёл-пошёл... Эх-эх-эх...

Паровозы — самые говорящие, поющие и работящие из всех машин.

— Пошёл-пошёл-пошёл-пошёл... А-а-а-а-а-а... Так-так, так-так, так-так-так-так-так-так... А-а-а...

Все знали.

Помчался поезд из Донбасса.

Он кричал на всю страну:

— А-а-а... Так-так-эх-так-та-так...

И замедлялся с трудом:

— Эх-эх-эх-хе...

Кричал, разгонялся, таскал, а там спали, ели, умывались, играли в карты.

Как обычно.

Кто-то тащит, а кто-то едет, а кто-то и не замечает, что его везут.

## СУНДУК НА ДОРОГЕ

Мы уже перестали идти навстречу.

Бежать навстречу.

Мы ищем попутчиков, сидя на их пути.

Нелегко, находясь в неподвижности, найти попутчиков.

Никто не хочет с нами вместе не двигаться по пути.

А другие нам не компания.

Сидящий и идущий не могут дружить крепко, они видятся одно мгновение.

Сидячий и стоячий ещё могут что-то предпринять.

Либо стоячий сядет, либо сидячий встанет.

Нет попутчиков неподвижному.

Бросят они его.

Вместе с его деньгами.

Все советуют начать двигаться.

Начнёшь двигаться — попутчики появятся.

Не начнёшь — будешь сидеть посреди дороги на сундуке и громко зевать и на кошек орать:

— Брысь, сволочи!

И прохожих обсуждать:

— Во-о! Какой!

Галстук, туфли лаковые. Накрахмаленный.

Куда ж ты такой чистенький?

Грязюка у нас. Пыль!

Садись. Посиди.

Расскажи, куда так мчишься?

По какому делу?..

Чего там нового в ваших краях?

Кваску попей. Водочки!

Эй-эй! Убёг! Ну, беги-беги!

Говорят, там ещё хуже.

Лучше быть первым здесь, где никого нет, на ё-моё сундуке, чем последним там.

Беги-беги!

А там биржу твою прикрыли небось!

Брокер или дилер. Хрен его знает.

Во! Ещё один несётся!

Тпру-у!

Нечистая сила! Сейчас налетит.

Куда прёсся?! Ты что, не видишь — сундук.

Что-что! Вот стоп-сигнал горит! Это задние фары. Передних колёс пока нет.

Нет, не посреди дороги, а посреди пути.

Дилер хренов.

Стань посиди.

Расскажи, чего там?

Куда притопил?

Сядь, перекуси.

Куда тебе к девяти?

А далеко ещё бежать?

Не знаю я твоих. Не видел.

Много тут пробегало...

Не! Мы на своём месте.

Не на чужом.

На своём.

А если человек на своём месте сидит, куда ж он побежит.

На другое место.

Не хотим стратегически.

Ты знаешь, что такое — сижу там, где мне надо?..

Беги-беги, сутенёр!

А мы своего дождёмся.

А нам хоть на месте.

Хоть назад податься.

Все пробегают.

Всех видим.

Бывает, соберутся поговорить и опять бегут.

Зато нас найти легко.

Мы всегда здесь.

Скоро все назад побегут.

Увидимся, значит.

Бей гражданских, чтоб военные боялись.

Хорошо становится не от дружбы, не от любви, а от водки в обрамлении дружбы, в обрамлении любви.

Ездили в трамваях — были читающей страной.
Сели за руль — стали пишущей страной.

Микрофон сразу делает человека одиноким.

И всё-таки главное сегодня — как ты сам хочешь.

Либо ты езжай туда, как ты хочешь.

Либо говори, как ты хочешь.

Пусть будет по-твоему.

И не нервничай.

Уже то, что это по-твоему, стоит того, что было до сих пор.

Человек сам ищет своё место и находит понемногу.

И очень немногих находит талант.

И вытаскивает на солнце за ухо.

# ТИХО! ОН ВСПОМИНАЕТ

В Одессе, если кто-то что-то вспоминает, он требует, чтобы все были рядом.

С криком: «Идите все сюда!»

Пока все не соберутся, он не начинает.

— Миша здесь? А Изя здесь? А Гарик? А Женя... Все... Я хочу вспомнить...

И начинает вспоминать...

Он молчит.

Мы молчим.

Мне непонятно, зачем ему все, чтобы что-то вспомнить...

Кто-то кричит:

— Про Павлика на «плитах»?

— Нет... Нет...

— Наверное, про эту сволочь — Зинку...

— Нет! Не мешайте... Тихо!

Зачем мы ему нужны? Зачем «тихо»?

Я не вынес молчания:

— Всё! Плевать я хотел!

Не можешь — не вспоминай!

Прекращай!

А вы все — идиоты.

Он же вас эксплуатирует...

Что он вспоминает?

А даже если вспомнит.

Я его знаю сорок лет.

Ничего интересного.

Он вообще ничего не помнит.

Ему кажется, когда все сидят, у него что-то начинает работать.

Хоть весь город зови, у тебя не поднимается в голову.

— Тихо! Дай ему сказать.

— Не хочу. Полжизни я сижу и жду, что он что-то скажет.

Не хочу.

Я свободный человек.

И мне плевать, что он приехал из Америки.

Откуда бы он ни приехал.

Там он ничего не вспоминает.

А здесь он ничего не вспомнит.

Что ты мотаешься туда-сюда!

— Дай ему вспомнить!

— Не дам! Вот иди во двор и сядь под дерево.

Вспомнишь — крикнешь.

Может, кто-то придёт.

А отнимать у нас жизнь я не позволю.

Я плевал на него, когда он уехал.

Я плюю, когда он приехал.

Мы долго молчали, потом разошлись.

— Я вспомнил! — крикнул он.

— Что?

— Твой старый одесский телефон: 26—34—12.

Все замолчали... Вот всё, что он вывез отсюда и привёз оттуда...

# УМ И МУДРОСТЬ

И снова.

Что такое ум и что такое мудрость?

Ум — познакомиться с премьером, полюбить начальника ГАИ, сдружиться с налоговым инспектором, с семьёй сокового короля, стоять недалеко от губернатора, сидеть с министром.

Мудрость — оценить, готов ли ты стоять навытяжку перед министром, ласкать директора, подолгу тешить соковых детей.

Запомнить анекдот, запомнить отчество, назвать больное место оппонента, знать врагов премьера и прогибаться, прогибаться, прогибаться.

Всё надо пресекать в момент знакомства — беременность, прогнутость, глубокое презрение к приживалам.

И длинную и очень толстую цепь разочарований.

Ум — осуществить.

Глубокий ум — предвидеть.

Мудрость — пресекать.

В определённом возрасте посещать туалет можно каждый раз, как только кто-то напомнит.

Посмотрел на себя со стороны.
Жую всё время.
Раньше — от голода.
Потом — за компанию.
Потом — из любопытства.
Потом — в честь открытия.
Потом — в честь закрытия.
Потом — чтоб кого-то увидеть.
Потом — чтоб кого-то не видеть.
Надо жевать, чтоб отъехать.
Надо жевать, чтоб приехать.
Надо жевать.
Особенно в дороге.
Особенно при виде бедных деревень.
Жуём, жуём и запиваем.
Жуём, жуём и запиваем.
И колёса — жуй-жуй.
Жуй-жуй, жуй-жуй и запивай.
Лет десять уходит на еду.
И память этот процесс не сохраняет.

Я бы немолодым людям поручил поработать наконец и для науки.

Им можно поручать испытывать на себе все длительные испытания.

Например, пребывать в космосе год или три.

У этих немолодых так быстро летит время, что они и чихнуть не успеют, как он уже вернётся.

Ещё одно открытие, связанное с теорией Эйнштейна.

Не только на скорости время течёт медленнее, но с возрастом оно течёт быстрее вдвое, втрое.

Оно летит.

Поручайте пожилым всё длительное...

Только чтоб они не забыли вернуться.

Или выключить свет.

# ХОТИТЕ БЫТЬ СЧАСТЛИВЫМИ — ПОГАСИТЕ ВООБРАЖЕНИЕ

Вы вошли в жизнь — погасите воображение.

Ваше воображение чернит тёмное, осветляет серое.

Воображение делает неудачи несчастьями, удачи — счастьем.

Красавицу — другом.

Друга — красавцем.

Кота делает умным.

Сына — талантливым.

Ваше воображение делает себя бездарным и несчастным.

Жену — счастливой.

Куда деваться, если вы несёте этот мир с собой.

Реальность гораздо симпатичнее.

Любое путешествие это подтвердит.

Там вы видите, что могут придумать разные люди.

А в воображении лишь то, что вы.

А когда вы вдруг воображаете, что вас кто-то полюбил, и начинаете как-то по-особому смотреть, и даже молчащий телефон не убеждает — это всё ничего...

Но вы начинаете приставать к той женщине, обижаться на неё, подолгу не звонить, воображая, как она там страдает, — и вы начинаете сохнуть, а она — полнеть.

Вы примитивно и грузно влюблены или воображаете, что влюблены, что одно и то же.

Вы же воображаемыми болезнями болеете так же, как настоящими.

И худеете, и желтеете, и слабеете.

Воображаемая любовь, видимо, и есть настоящая.

Вы ошибаетесь только в любимой.

Её любовь и мучения представляются вам страшными.

Вы даже пробуете уберечь её от самоубийства.

Как жаль, что вы не можете одновременно быть на двух местах.

На её и на своём.

Выключите воображение.

Вы не писатель — вы мыслитель.

Вы живы и здоровы.

Ваше молчание, которое кажется вам страшным, иногда её удивляет, и она звонит томно-тревожно, зная, с кем имеет дело.

Выключите воображение.

И все, кто долго не видел вас, отойдут от телефонов.

И все, кто безумно вас любит, займутся буднями и не вспомнят, где вы в данный момент.

Выключите воображение.

И напомнит о вас кто-то случайный, приехавший издалека.

— А где? — скажет он, перечисляя.

А где-то у меня тут телефон... Михаил, мы тут собираемся. Собраться нет ли желания?

Выключите воображение.

Не играйте отказом.

Так же как они вас вспомнили, так и вы их...

Как они молчали три года, так замолчат ещё на пять.

Откликайтесь и выезжайте из воображения туда, где вас вспомнят и встретят.

А преувеличенная радость с обеих сторон вполне компенсирует недостаток денег на ресторан.

Кстати, о деньгах.

Выключите воображение.

И вы увидите соседа не богатым и счастливым, а крупно замотанным и регулярно встревоженным.

Выключите воображение.

И вы увидите яхту олигарха не лайнером, а сборищем механизмов, которые регулярно жрут мазут, тосол, масло, огурцы, виски, лёд, коньяк, завтраки, обеды.

Вы увидите сборище людей, мрачный экипаж, недовольных горничных, нечистого шеф-повара, вороватую команду и ненадёжный офицерский состав.

Выключите воображение.

И вы почувствуете, как эту яхту качает в открытом океане.

Как блюют высокие гости, и как вам надоела эта женщина, а её некуда убрать с яхты, только утопить.

И куда бы вы ни подошли, вас ждут демонстранты с лозунгом «Вор и убийца! Прочь от берегов Италии, убирайся в свою страну».

Выключите ваше воображение.

А без вашего воображения жить на яхте не удобнее, чем в отеле.

И тот, кто живёт на яхте, — живёт в вашем воображении.

На самом деле его там никогда нет.

Там валяется его молодая жена, которую он там держит под присмотром команды и которая грызёт канаты от тоски и пьёт, пьёт и страшно ругается матом через свой нежный и красивый рот.

В своём воображении поцелуйте её и услышите, что она скажет.

Выключите воображение.

И Новый год в Африке вместе с жарой и пылью, и плохой компанией, и массой водки, и скукой заставит вас вообразить Новый год в Москве, в снегу, в Доме актёра среди знакомых прекрасных лиц, стихов, песен.

Вообразили?

Так где лучше Новый год?

Конечно, в Москве, в лесу, в снегу, в санях, с хохочущей любимой, в тёплой шубе...

А теперь выключите воображение: ни саней, ни шубы, ни лошадей в Москве, а компания рванула в Эмираты.

Теперь опять выключайте воображение, вы всё равно опоздали.

Гостиницу бронируют за два месяца.

Воображение у вас работает, а голова — нет.

Паспорт не поменяли.

Билеты не заказали.

Да и денег вам не хватает на любой вариант.

Тогда садитесь, выключайте воображение и начинайте соображать.

Ибо, если человек не соображает, он начинает воображать.

# — ЧТО ТАКОЕ ЛЮБОВЬ? — СПРОСИЛ Я У СЕБЯ

— Не знаю, — ответил я.

— Что такое дружба? — спросил я.

— Не знаю, — ответил я.

И вдруг понял, что это смесь чувств: куда входят зависть, и уважение, и нетерпение, и сочувствие, и долгие разговоры.

— А тоска?

— И тоска.

— А я?

— И ты!

— И ты?

— И я!

Обязательно. Как же без нас.

Эй, пацан, где мой «парабеллум», что за дела?

Ты просил на два дня для музея срисовать...

Слушай, тут у соседей отец на дочку орал, чтоб к одиннадцати больше не возвращалась, чтоб гуляла всю ночь с кем хочет.

А во дворе за углом жених не явился во всей форме.

Старуха пропала с семечками.

Жарит где-то непрерывно для какой-то компании.

Военком отказывается призывать молодёжь, что-то плёл, что в армии и так народу полно, своих девать некуда, а тут ещё призывники каждый год являются.

А этот, классный руководитель, говорил-говорил по программе, потом давай каяться: мол, не так диктовал, забыл предупредить, где-то два «Н»...

Всем «отлично» поставил.

Тебе, мерзавец, какой-то диплом особый выдал по всем предметам — «В незнании прошу винить преподавателя такого-то, живёт там-то».

Ты что творишь?

Директор тебе справку об окончании школы с золотой медалью за 7-й класс...

А в поликлинике за какой-то синяк — освободить от занятий, перевести на каникулы вне очереди...

А ну-ка, давай «парабеллум».

Трофейная вещь, деда моего.

«В школьном музее показать... В честь Дня Победы...»

Срисовать ему... Перечертить...

Нет к нему патронов! Немцам напиши, пусть вышлют.

Я сейчас ремнём тебя по хитрой заднице...

И я, главное, старый дурак...

Да... Поколение растёт...

Есть фильмы не интересные для узкой аудитории.

Есть фильмы не интересные для широкой аудитории.

Есть фильмы просто неинтересные.

Есть, наконец, аудитории, не интересные для показа любых фильмов.

Молодёжь сегодня любит дикую природу, падения, преодоления, жизнь без еды, без света, без воды.

Я удивлялся, удивлялся, потом вспомнил: я ж так жил лет 60.

И я не знал, что это экстрим.

Если единственное правило в международных отношениях — соблюдение собственных интересов, что же требовать от отдельных людей?

Нет, говорю я, мне нравится жить в нашей стране.

И хотя меня не поддержит большинство россиян, я хочу выпить за это.

Я отвечаю за себя.

Нет, мне нравится жить в нашей стране, хотя и не хочется.

Вернее, хочется, хотя и не нравится.

Да, так точней.

Я живу в нашей стране, хотя мне и не хочется и не нравится, но я это делаю с удовольствием.

Наблюдения за собой, переложение этих мук на бумагу вполне напоминает подвешенного на парашюте с прицепленным к ногам плакатом «За «Единую Россию»!», которые на длинной верёвке тащит катер с надписью «Наш народ».

Ослабнет верёвка — сможешь пошевелиться, но упадёшь.

Не будешь шевелиться — продолжишь полёт.

Вот за это парение на длинной верёвке мы и выпьем.

За обзор и высоту, которую достигают те, кто связан!

За зависть и неподвижность отвязанных внизу!

За красоту полёта с кляпом во рту, с плакатом на ногах!

За радость и высоту обзора, о которой никому не можешь рассказать, так как ты связанный и — кляп во рту!

За прекрасные рассказы лишённых обзора и высоты.

За это мы выпьем.

Так в чём проблема?

А как всегда — в длине верёвки.

У нас всегда было плохо с управлением культурой и с сельским хозяйством.

Ибо там и там само растёт...

А руководить хотят все.

Жизнь — та же уличная езда.

Не ты врежешься, так в тебя врежутся.

И осторожность твоя круговой быть не может.

В одном кинотеатре во время демонстрации отечественного фильма обвалилась крыша.

К счастью, никто не пострадал.

А если бы кто-то был в зале?!

Сейчас пейзаж себе выбирают, раньше пейзаж тебе давали.

## КОРОТКИЙ РАССКАЗ ВОЕННОГО

Первая мировая война: отца — «пук» — остаются двое детей.

Революция.

Гражданская война: отца — «пук» — остаются двое детей.

Затем коллективизация.

Отца — «пук» — остаются двое детей.

Вторая мировая война: отца — «пук» — остаются двое детей.

Третья мировая война.

Его сына — «пук» — остаются двое детей.

Скольким детям удалось посидеть на руках у дедушки?

# КУДА ВЕДУТ НАШИ СЛЕДЫ

Путч случился пятнадцать лет назад.

А мы до сих пор не знаем, победили они или проиграли.

И куда мы попали в борьбе с ними.

Вроде вышли из пункта А, но удаляемся от пункта Б.

Лицом вперёд действительно, но в пункте Б нас уже не видят.

Характерное движение, удовлетворяющее чаяния всех народов.

И тех, которые не хотят нас видеть в пункте Б, и собственного населения, мечтающего хоть временно вернуться в пункт А, где оно забыло что-то очень важное.

Так что путч не стоит считать провалившимся.

Их дело живёт, и участники окружены почётом.

А дело демократов, либералов и плюралистов окончательно провалилось, а их разрозненные голоса, звучавшие в разное время в разных местах, нельзя считать хором.

Наши следы на общей дороге запутались, ведут назад, что вполне устраивает небольшую группу цивилизованных стран, занятых голосовой борьбой с фундаментализмом.

А мы, убедившись, что свобода и несвобода в России имеют одинаково хреновый вид, нашли согласие с руководящей элитой и стали вместе с ней совершать колебательные движения от свободы к несвободе.

От чего и возник этот всеобщий колокольный звон в ушах.

Целую.

Ваш колеблющийся.

## КОНСТИТУЦИЯ

Самое острое, что я слышал, — это чтение нашей Конституции по радио.

Страшно будоражит и делает человеком.

Это сильнее Чехова и Достоевского.

Это не то, с чего можно брать пример.

Это можно потребовать для себя. Лично.

Дадут или нет — не скажу.

Но требовать обязаны.

Художественным произведением вы можете восторгаться, наслаждаться, любоваться, даже питаться, но не можете требовать его для себя.

А когда вы слышите то, что вам обязаны предоставить...

Потому что вы есть. Не хуже всех. Не хуже других. Не хуже любого.

И что самое главное — не лучше другого.

Вы можете требовать для себя то, что там есть.

Там всё для вас.

К тому, что в Библии, — надо стремиться, очищаться, улучшаться, и вы всегда в начале пути.

Когда бы вы ни открыли и в каком бы месте.

Для Библии вы должны измениться.

Для Конституции — нет. Нет! Нет!

Она даёт всё такому, какой вы есть.

Здесь и сейчас.

Она просто и внезапно говорит вам, что вы — человек, исходя из чего вы обязаны и вам обязаны.

Исходя из чего вы можете не только думать, но и говорить — высказывать своё.

И вас не касается, совпадает это ваше не с вашим, с общим, с соседским, с принятым, даже с полезным или приятным.

Вас не касается.

Вы свободны, одиноки.

Вы мыслите и говорите.

Вокруг вас довольно плотно к телу то, что называется вашей свободой.

Ваша свобода может касаться, но не пересекаться со свободой другого человека.

Во всём равного вам.

У него может быть скверный характер, он может быть чёрен, немыт и безног.

Он во всём равен вам.

Всё остальное — обслуга.

Ваша обслуга — это власть, полиция, милиция, таможня, медицина, дорога, стройка, армия.

Всё это — сервис — не власть.

Власть... Это вы, я, он, миллионы «я», «я», «я», собранные в голоса, в население.

В два-три мнения, где большинство есть глас божий.

Ваш одинокий независимый голос, плюс мой, плюс Ларисы, плюс Тани, плюс отца, плюс, плюс. Голоса складываются и раскладываются.

В Думе наши голоса.

Как они выглядят, так они выглядят.

Это мы, собранные в пучок.

Президент, собранный из нас, которому внятно сказано нами в большинстве своём: мы хотим, чтобы ты был первым.

Это не значит, что ты лучший...

Мы выбрали из тех, кто поднял руку, из тех, кто предложил себя.

Ты первый на четыре года.

Если пригодишься народу своему, ты будешь ещё четыре года.

Больше нельзя.

Ты начнёшь нас угнетать, сам этого не желая.

Власть перестанет быть обслугой, а станет властью.

Обязательно.

Весь мир отверг этот соблазн.

Дай себя сменить.

На другого человека.

Пусть он будет хуже.

Он принесёт главное — уверенность во власти народа, состоящего из мыслящих существ.

Народ убедить легко.

Каждого из нас — очень сложно.

Смена власти — желание каждого из нас...

Для того чтобы над всем, выше Библии, выше религии, выше здоровья была эта книга — Конституция нашей страны.

Наше население согласно голодать, но строить авианосцы.

И это верно...

А чтобы строить авианосцы и не голодать...

Такой идеи ещё нет.

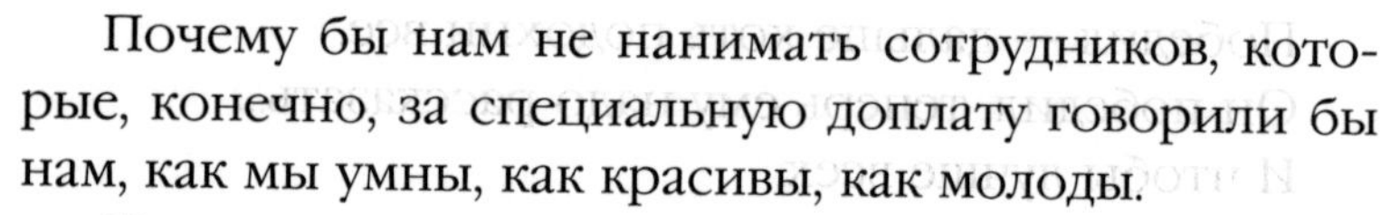

Почему бы нам не нанимать сотрудников, которые, конечно, за специальную доплату говорили бы нам, как мы умны, как красивы, как молоды.

И пусть у нас не получается, а они говорят, что всё хорошо, что прекрасно получилось и нас любят, и мы желанны и талантливы.

И пусть это обязательно будет правдой.

Кто же за ложь будет платить?

# ПОБЕДИТЕЛЬ И ПОБЕЖДЁННЫЙ

Мужчины те же дети, но очень жестокие — ручонки у них очень безжалостные.

И любят победы.

Ради победы он врёт, и притворяется, и тратится, и даже худеет — всё ради победы.

Победил — дальше хоть подохни все.

Он победил, теперь ему надо рассказать...

И чтобы лучше всех.

Рассказал и давай всем показывать.

И даже стихи сочиняет.

И даже — музыку, чтобы о своей победе петь и декламировать.

А тётки глупые — кто на внешность купится, кто — на рассказ.

А ему ещё — медаль за лучший рассказ.

Вот он и ходит.

Победитель! А жизни нормальной нет.

У победителей нормальной жизни не бывает, как и у побеждённых.

Они друг с другом не должны жить.

Им меняться надо.

Сегодня ты победитель, завтра я.

Тогда терпеть вдвое короче, и ребёнок нужен, чтоб уже оба были побеждены как следует.

Я купил зеркало, испорченное в тех же местах, где я.

С тех пор в хорошем настроении.

Я с вами согласен.

Я — не писатель.

Но я хороший не писатель.

И тут появились мои любимые люди — женщины.

И я из спора вышел.

Мы оба были пьяны.

Мы оба были в очках.

И он мне капнул в глаз.

Что-то против чего.

Он был врач — когда был трезвый.

Я, когда был трезвым, снимал очки.

Но помогло.

Видимо, очень сильное лекарство.

Не где-нибудь, а в круизе он познакомился с девушкой.

Они бродили по пароходу.

Искали свободную каюту.

Они были у пассажирского помощника.

Просили капитана.

Всюду отказ.

Наконец наш герой упросил знакомого.

Тот долго гулял с ними по пароходу. Наконец ушёл вместе с его девушкой к себе.

Он остался один.

Кого здесь проклинать?

Кто кому в круизе и за что должен хранить верность?

Наш герой повертелся, потанцевал, выпил, плюнул, пошёл спать.

Тут явился сосед по каюте и попросил погулять до утра.

Его, оказывается, всю ночь не было, пока они искали место.

А наш герой дошёл до того, что стал говорить гадости официанткам.

— Два пива и один телефон. Бокал шампанского и зайдите в каюту!

От него шарахались.

Всё-таки у любви язык особый.

Первый единственный, второй единственный, третий единственный.

Потом идёт толпа мерзавцев брошенных.

За ней ещё один единственный.

И всё. Конец.

Танцевали, танцевали вдвоём, а она вдруг сказала:
— Всё хорошо, только мне партнёра не надо...
Я так и не отдышался.

У нас принято смотреть на говорящего человека.
Слушают его совсем другие люди.

Характер у неё неважный.
Но поживите с ней — получите удовольствие.

# ПИВО, СЕЛЬДЕРЕЙ

**У** кого нет денег на дорогое лекарство, для мужчин рекомендуем открытое мною...

Мною открыто:

Кило хлеба и кило сельдерея.

И сидеть ждать...

Но, конечно, она должна хотя бы прийти.

А иначе кроме изжоги и отрыжки...

Но, если она не придёт, она потеряет такое наслаждение, такое виртуозное обладание! Откуда только мастерство возьмётся!

То есть кто ждёт — потеряет много.

Кто не придёт — потеряет всё!

Не проводить испытания тайно.

Садись гордо за стол.

Кило хлеба, полмешка сельдерея.

По весу... По весу, не на глазок.

Можно пива со сметанкой.

На кружку пива — стакан сметаны.

Всё разболтал, съел.

Включил музыку.

И садишься ждать.

Только не усни.

Не пропусти возбуждение.

Пропустил — всё сначала:

хлеб, сельдерей, пиво, сметана...

Предупреждение! Без возбуждения нет соблазнения.

Слова получаются не те!

Те — куда-то пропадают.

И они, эти люди, ради которых ты жрёшь сельдерей, чувствуют...

Слова не те!

Так и говорят:

— Я бы хоть сейчас, но слова не те.

Само возбуждение даёт сельдерей с чёрным хлебом, а слова — пиво со сметаной.

Неутомимость — конский каштан, четырнадцать капель три раза в день.

Огонь в глазах — настой чабреца, три ложки на стакан кипятку.

А смягчает порывы — обыкновенная ромашка с лимоном.

Не путать с лимонником...

Лимонник таёжный — осторожнее: порвёшь мебель, вырвешь радиатор, всё оторвёшь, что в судорогах схватишь.

Ромашкой замедляй.

И, главное, следи, чтоб она пришла.

Иначе выбегать на улицу в твоём состоянии — тюрьма.

А в тюрьме насильников не любят.

И ты там получишь всё то же самое, но не от противоположного пола.

Как говорится — на себе поймёшь грозное действие указанных мною препаратов.

Обязательно чтоб пришла!

Квартиру обещай, документы ей вышли, почтовый перевод на такси...

Всё!.. Дверь открыта, музыка играет, на плите что-то кипит, и ты весь в пурпурном панбархате.

Она по лестнице.

Ты в волнении.

Она без стука — ты без звука.

Она на пороге — ты в пурпуре.

С двумя бокалами.

Себе — пивка со сметаной, ей — шампанское с коньяком.

Я осторожно снаружи прикрою дверь... Зависть гложет.

# ТЕАТР

Фотография театрального коллектива.
Режиссёр показывает, тыча пальцем:
— Эта теперь с этим.
Этот с этой.
Эта с этим.
Эта с этим.
Этот ушёл от этой к этой.
Эта от этого ушла к этому.
Я им говорю: «Пока мы вместе, мы — кулак...»
Давайте звонок.

В Одессе: зачем там ехать, когда там нечего идти.

Её ошибка в том, что она стала бросать в меня камешки, хохотать и падать на меня сверху.

Если лучшим способом добиться благосклонности президента станет порядочность — она войдёт в моду.

Мужчины-чиновники и женщины-чиновницы.

Одинаковые фигуры, лица, речи, дыхание, тосты, доклады — только там, внизу, в ногах — незначительная разница.

О чём они жалеют до сих пор.

Ребёнок рассказывает:

— У нас две новые воспитательницы.

Задают нам загадки хорошие.

Кто правильно ответит, тому дают жетон.

Кто наберёт больше всех жетонов, тому — премию.

— Какую?

— Баксы дают.

— А где ж они берут?

— Да, путанят потихоньку.

Он был таким бабником!

Старые девочки его помнят.

Эта ложь вызывает доверие.

Комплименты в пьяном виде — это восторг от выпитого, а не от увиденного.

Благородное отношение к женщине осталось только в бальных танцах.

Вопрос журналиста:

— Скажите, как вы, как еврей, относитесь к жизни татар в России?

— Это почта? Мы утром телеграмму у вас посылали — такую большую.

Там переправьте, пожалуйста, «поздравляю» на «проклинаю».

А дальше всё то же самое...

С юбилеем, с праздником, с повышением.

Спасибо!

# МОИ ЗАПИСНЫЕ КНИЖКИ

Вначале номера телефонов вытесняли мысли.
Потом мысли вытеснили телефоны.
Возраст.

## ЖЕНА МОЯ

Нет, ты пойдёшь и выступишь.
Нет, ты пойдёшь и дашь концерт.
Нет, ты рассмешишь публику.
А я сказала — рассмешишь!
А я сказала — рассмешишь!
А я сказала — рассмешишь!!!
Я кому сказала!
Я кому сказала!!
Ну-ка, подойди ко мне.
Я кому сказала — подойди...
Так вот, слушай внимательно.

Ты сейчас же перестанешь плакать, перестанешь капризничать, умоешься. Наденешь синий костюм, белую сорочку, бабочку, возьмёшь портфель и пойдёшь к чёртовой матери в Зал Чайковского.

И будешь стоять на сцене два с половиной часа с антрактом, и будешь читать всё-всё, что написал этим летом... Ты слышишь меня?!

И только попробуй не рассмешить!..

Нет! Нет! Развеселить — это одно, а рассмешить — это другое.

И не торгуйся со мной.
И запомни — провалишься, значит, так и будет...
Придёшь домой, я тебе дам валерьянки...
И не считать себя хуже других! Ты слышишь?

И не тычь мне в глаза диплом инженера...

Плевала я на этот диплом.

Смеши, подонок!

Смеши, мерзавец!

Сколько лет ты отравил всем: «Я не могу! Я не могу».

Пошёл на сцену!

И пока они не рассмеются, стой насмерть.

Не смей бежать за кулисы, убожество.

Пусть плюются, пусть свистят — стой обгаженный, пока не рассмеются.

Потом поклонись и уйди с достоинством.

Дома будешь рыдать...

Мало я этих слёз видела?!

Мало нахлебалась твоих рыданий?!

Всю эту проклятую жизнь с тобой вбивала тебе в голову: ты талантлив!

— Нет, я бездарен.

Значит, другие ещё бездарнее. Вон на сцену!

Пошёл на выход, тащи свою проклятую неуверенность и ставь перед теми, кто за свои деньги пришёл это увидеть...

Покажи им, чего ты стоишь на самом деле.

А если вернёшься домой...

А если ты ещё застанешь меня...

И если я ещё буду способна выслушать твои судороги — значит, мне действительно некуда идти...

А теперь пошёл вон на свой концерт!

Три «Е»:
единодушие,
единомыслие,
единовластие.

Тебе признавались в первой любви в первый раз, а в последней любви в первый раз не признавались.

Я лично своим советам не следую.

Политика обращена к народу.
Искусство — к каждому.

Конечно, хотелось бы, чтобы дела и благородные принципы действовали благодаря своей очевидности.
Но так почти не бывает.
Только в силу выгоды для каждого.

# РЕМОНТ В ОДЕССЕ

*Монолог*

— Вы помойте эти рамы, розетки, вам не будет скучно.

Потом закрутите эти винты, вы развлечётесь.

Я вам скажу по секрету: мы в понедельник придём не в девять, а в одиннадцать.

У моей жены день рождения.

Я вам скажу, кому нужен ремонт.

Ремонт нужен для женщины.

Это она смотрит в потолок.

Ремонт делаем по формуле 2П4С — пол, потолок, четыре стены.

Так... Так... Я, когда работаю, я говорю... Иначе я отказываюсь...

Вы болеете?

Человеку, когда нельзя болеть, так он не болеет.

Я работал у женщины. Она развелась.

И тянет ребёнка одна.

Так она не болеет. И ребёнок не болеет. Им некогда.

А эти двое — я вам скажу, — они так пристально смотрят друг другу в глаза, что, если один отвернётся, другой ему тут же изменяет.

Я вам скажу: я бы хотел жить в Казахстане и целовать на скаку девочек.

Но я уже располнел, меня лошадь не выдержит, только жена.

Я работал в одной квартире.

Она — чужая жена.

Он — чужой муж.

У них шифр был.

Он набирает номер.

Там поднимают трубку.

Здесь молчат.

В ответ на молчание — там начинают говорить.

Такой у них был шифр.

И тут кто-то набрал номер и молчал.

Чужой муж начал рассказывать, открыл всю душу, все несчастья и всякие интимные места с ночными именами.

И в конце разговора ему в ответ:

— Ха-ха.

Вы не поверите, ему вызывали «Скорую помощь».

Я одному делал косметический ремонт в доме на снос.

Так всех выселили.

Так он там жил.

Я ему побелил, покрасил.

Так его не поймали, а меня поймали.

Ну, я с вёдрами, щётками стал ходить в сносящийся дом.

Люди решили — вводят в эксплуатацию.

Дайте сегодняшнюю газету.

Я сгораю от нетерпения.

Нет, ничего интересного.

Не беспокойтесь.

Я могу работать во время разговора.

Моя жена бросает всё и говорит.

У неё горит всё.

Я в одном месте делал потолок, у неё муж педагог-физик.

У него испортилось зрение, и врачи запретили ему работать.

Так она устроила его в трампарк по хозчасти.

Так вы слышите, вагоновожатые научили его пить и гулять.

Он уже четыре дня не появляется.

В трамваях очень удобно.

И все ей говорят:

— Вы же сами его туда устроили.

Ну, для неё сейчас главное — его дождаться.

Она такая толстая — на четырёх стульях сидит.

Она съедает три цыплёнка табака, и муж ей даёт пульку от четвёртого...

Но она надеется, что он вернётся.

Хотя вагоновожатые говорят: вряд ли.

А в ней килограмм двести.

И она проиграла.

Она презирала его тщедушие.

Он моей комплекции — водопроводное тщедушие, — организм пропускает всё, не усваивая.

Зато я лёгкий на ходу.

Конечно, женщина создана для наслаждения.

Но наслаждение должно быть в меру.

Двести килограмм.

Я уже не говорю — носить на руках, но хоть ногу у неё поднять ты же не будешь звать на помощь.

Но она готовит — что-то помрачительное.

Съешь — с кастрюлей.

А мужчина — существо беззащитное, что дают, то он ест.

Но вы заметили, у толстух — худые мужья.

Я вам скажу: это не болезнь, это разница характеров.

А что нет?

Они на этом сошлись.

И держатся.

Крепко... Очень крепко.

Как виноград за забор.

Я вам скажу, они очень энергичные, эти толстухи.

Такие деловые — бегают и носятся, и не болеют.

Меня внучка спрашивает:

— Почему называется «женский пол», «мужской пол»? Ты же их ремонтируешь?

— Нет, для этих полов другие мастера. Мама тебе объяснит.

У меня с женой вообще хорошо.

Но она говорит на полминуты раньше меня.

То же самое, что говорю я позже.

Вы видели такую семью?

Я выгляжу полным идиотом.

Я хочу спросить, она уже спросила.

Меня спрашивают — она отвечает.

Я иду что-то рассказать — она уже рассказала.

Вы такую семью точно не видели: появляюсь я и второй раз рассказываю эту же историю.

Так больше того: я — Изя и она — Изя!

Ну, она Изольда по паспорту.

Я узнал, что она Изя, когда мы уже поженились.

Так я, Изя, пришёл, а Изя уже рассказала.

Но я вам скажу: мы весело живём.

Нет, она у меня худенькая.

Она столько тащит на себе, что я ей прощаю.

Я ей всё прощаю.

И она мне кое-что.

Ну, мужчина — это та сволочь.

Он очень подвержен.

Его научить плохому ничего не стоит.

А отучить невозможно...

Нет... Нет, либо мы укрываем пол плёнкой, либо вытираем по влажному.

Хорошо.

Главная моя задача — заткнуть ей рот до моего появления.

Я уже облокотил на неё все проблемы.

Я у неё спрашиваю:

— Это я ем?.. А это мне можно?

Она у нас главная...

Я знаю только свою работу, всё остальное — она.

Она иногда говорит:

— Изя, мне покраситься?

Я говорю:

— Что касается меня, то я бы этого не делал.

И я вам скажу, она прислушивается.

Когда ещё нашей дочки не было в живых, она взбрыкивала.

Сейчас мы — душа в душу.

И меня она любит, так мне кажется.

Она возвращается с базара, я ей говорю:

— Прямо не знаю, за что вас подхватывать, Изольда Марковна, за кошёлки или за самоё.

Вы русский язык хорошо знаете?

У них есть это слово «самоё»?

Семейная жизнь — школа выживания.

Тут один заказчик пригласил нас в ресторан.

Так я скажу вам: я таким злорадным себя ещё не видел.

Там какой-то седой и с ним красивая молодая.

Пьют... Музыка играет. Её приглашает какой-то парень.

Как она с ним танцует!

Что она вытворяет!

Чуть не целует...

Вниз вообще лучше не смотреть.

Но и наверху...

Наш седой сидит, опустив голову, рассматривает помидоры, мучается.

На следующий танец этот седой делает колоссальную ошибку.

Он идёт с ней танцевать.

И все видят, что почём.

Он дёргается, виляет животом, хвостом, плечами.

И от этого выглядит ещё старше...

Через некоторое время этот молодой опять приглашает её на танец.

Седой вдруг бросает тарелку и кричит:

— Да берите её хоть навсегда.

Они танцуют.

Уже она мучается, вырывается, прибегает.

Никого нет.

И парень куда-то смылся.

И у него интерес пропал.

Все смотрят на неё.

Она о чём-то говорит с официантом...

Я вам скажу, в этом ресторане у неё сторонников не было.

А врагов — полный зал.

Или живи с таким, как ты, или не позорь того, с кем живёшь.

А город Одесса маленький.

Он кажется большим.

Мне уже назавтра сказали, что они помирились.

И она заказывает наружный ремонт.

Я вам скажу, нельзя ревновать.

Женщины любят игру, а она затягивает.

Что вы? Чтоб у меня было столько друзей, сколько было подруг!...

Так что я женщин понимаю лучше.

Они беззащитны.

От этого так практичны и так хитры.

Я смотрю, на улице каждая с телефоном.

Это её защищает.

Она успеет что-то сказать.

Когда у меня умирал отец, я бегал по Чижикова.

Позвонить... Нет автомата!

Не работает! Нет автомата! Не работает!

Я бежал на чужих ногах.

Я ворвался в райком партии.

Я кричал: «Мне позвонить!»

Что-то было с моим лицом — «пожалуйста, пожалуйста».

До сих пор я не могу видеть телефон-автомат.

Я не могу видеть много цветов.

Да... Вы вытирайте розетки. Только осторожно.

Да. Так вот.

Если вы ревнуете, значит, у вас есть основания.

И уже нет шансов.

Хотя я считаю, пользоваться женщиной, которую кормит и одевает муж, — воровство.

Забирай и корми сам.

Но это такие сложные вопросы, что я лучше покрашу пятнадцать потолков.

А вы сегодня выглядывали на улицу?

Море сегодня такое синее, хоть кисть макай.

Это счастье — жить возле моря.

Сколько во всём мире живёт возле моря? Ну десять процентов.

Когда тебе Бог дал такое, ты уже один из десяти.

А ещё хорошая жена.

А ещё приличные дети.

А ещё тётя в Америке...

А ещё кусок жареной камбалы с пюре...

Тс... Тс-с... Я не пью.

Меня Изя ждёт.

Эй ты, бездарь горькая, собирай инструменты.

Значит, завтра в девять.

А на самом деле в одиннадцать...

Я доскажу... Нет... Нет...

Спасибо...

Я работаю тоже хорошо...

Вы увидите: стены рушатся — мои обои стоят.

— Игорь Семёнович? Плюс один — это тепло или холодно?

— Видишь ли, Михаил... Ты сейчас где?

— В Одессе.

— Это там плюс один?

— Да.

— Это холодно.

— А в Москве плюс один — это тепло.

— Спасибо!

— Не за что.

— Мой друг! Если бы на одну чашу весов положить случайные половые связи, а на другую — хороший коньяк, я бы выбрал...

— Постой, а зачем их класть на разные чаши?

Сидеть за одним столом с тигром — это храбрость.

А высказать ему в морду всё, что он из себя представляет, — это мужество.

В спорах — истина.
В ссорах — правда.
В войнах — победа.

# ГОСУДАРСТВО И НАРОД II

— Не отдавайте концы! — просит государство своё население как-то неуверенно и поздновато. — Денег вот дадим младенцам...

— Это правильно, — уходя, замечает народ. — Это верно...

— Возрождаться надо по два, по четыре, по шесть, по восемь.

— Да где ж столько производителей набрать? На одного перегрузки большие.

— Надо, надо, ребята, территорию охранять некому.

— Ну, надо так надо, — говорит народ. — Вы того, уверенности нам прибавьте.

— В чём?

— Дак в будущём, в будущём.

— В будущём? А что, нету?

— Есть, конечно, но нет.

— Всё ж сделали, как ты хотел. Перессорились вот со всем миром почти. Дружим с самыми сумасшедшими... Список врагов практически бесконечный. И сами враги уже подготовлены, выстроены, злые, огрызаются и не нападут никогда.

— Да нет, с этой стороны уверенность есть, — говорит народ.

— А женщины у нас? Такие красивые... Обрати внимание, займись, сосредоточься.

— Дак кто ж тут?.. Лучше наших нет и не будет.

— Значит, и с этой стороны уверенность есть.

— Есть, есть...

— А чем ты сейчас занимаешься?

— В данный момент?

— В данный момент.

— Дак тем же... Провода медные... Рельсы кое-какие... Огород вот...

— А к государству хорошо относишься?

— Очень. Очень... Но у вас же вроде так ничего не осталось... Неинтересно. Вроде знакомы, а попросить нечего. Попросишь чего, вы вроде дадите, а мы ничего не получим. Немножко неинтересно стало... Как пару рублей прибавите, так на пару рублей и вздорожает. Неинтересно с вами, скажем так...

— А что, может, тебе президент не нравится?

— Ну, это уже не разговор. «Президент не нравится» — не надо так говорить. Как раз очень. Не надо нам это говорить. Президент и на месте, и симпатичный, и молодой, и шутливый, и по-французски... Да нет, пусть работает... А вот откуда остальные взялись? Может, он их тоже не знает.

— Почему?.. А что, в правительстве, что ли?

— Да и в правительстве.

— Поменять?

— Пусть работают... Меняли их, меняли, что толку... Пусть работают... Они к нам привыкли. Мы к ним...

— Дак чего ж не рожаете?

— А вы бы б с женщинами нашими говорили!

Чего вы всё с мужиками. Мужик наш — он чего? Он ничего. Он всегда согласен. Бабы у нас дурные, своевольные. Мужик встал с кровати и ушёл. А она там осталась размышлять... Ей решать. Кто с ребёнком на руках на фронт провожает? Баба!

— Так то ж в кино.

— А мы и сами только в кино видим.

— Так давайте, ребята, любите друг друга.

— Нет, насчёт «любите друг друга» это вы бабушке своей государственной скажите. Этого у нас не было и не будет. Вот если через секс, как сейчас говорят, это ещё можно. А то врагов, значит, не люби, а своих люби... Так не получится... Если уж одичал, то на всех сразу... А через секс можно попробовать, но его тоже без водки не затеять.

— Нет, с водкой нельзя. Нельзя! Секс с водкой — это кривой младенец получается, несимметричный.

— А без водки не полюбишь. Ненавидеть без водки можно, а любить как-то стрёмно, короче, не пробовали. Придёшь любить, она сама тебе нальёт. Раньше, при жизни советской, кого ни рожали, все сгодились для сражения, так?

— Так.

— А теперь технику ему надо доверить, теперь техника стольких перебьёт, не нарожаешь. И бизнесом не займёшься. Видишь, бизнес какой оказался. Он водки не выносит. Вино ему давай марочное. А у нас секс к водке приучен... Самогоновый секс. Я вам так скажу, чтоб этот дурацкий разговор закончить: мужик наш занят неизвестно чем, но занят — и просит его не беспокоить. Так что вам будет удобнее с женщинами поговорить. Чтоб государство любили и Родину охраняли.

— Да ну... Как им объяснишь?

— Вот! Вот... А вы хотите, чтоб мы объяснили. С женщинами говорите твёрдо.

— Нет, с ними не будем. Это твёрдо.

— Тогда, значит, вам совсем тяжёлым путём надо идти — квартиры строить, продукты искать... А вам сейчас не с руки, вам сейчас Сочи возрождать.

— Да... — опустило голову государство. — Нам Сочи возрождать...

— Вот видите, занятие есть... И у нас занятие есть... Так что пока вы давайте это... А мы это... Тут неподалёку... Если что, можем договориться... Мы неподалёку... Бывайте себе...

— Бывай, хитрюга... Уйди от греха подальше...

— От греха? Кто ж без греха родит? Смягчать надо постулат.

И, подхватив мешок, народ рванул к железной дороге.

Портной заявил, что у меня правая нога короче, рука сдвинута, плечо ниже.

Из любопытства стал бабником и толстяком.

Из сострадания — юмористом.

Посмотрите, во что превратилось то хорошее, что в нём было.

Тебе, родная, нужно быть красивой завтра к восьми.

А мне умным каждый день.

И не отложить.

И надо идти и быть умным.

Тебе в крайнем случае не заплатят.

А мне не заплатят и не простят.

Я — круглосуточно, ты — только к вечеру.

Просто у нас наименования разные.

От тебя — то, что было.

От меня — то, чего не было.

У пишущего характер ужасный: он эту жизнь проживает дважды.

Первый раз — живёт.

Второй раз — описывает.

Эта женщина мужские взгляды не отражает, а впитывает.

Будущие политики так упорно лезут наверх, нутром чувствуют — там их компания.

Если один требует денег, а другой ему не даёт, кто из них жадный?

# ТОСТЫ ЖЁН

**О,** если бы жёны говорили то, что говорят друзья на юбилее.

Хотя бы сотую часть того, что говорят друзья.

Но жёны не способны физически и умственно речь держать в честь мужа.

Даже ничтожный тост.

Её спрашивают друзья: «Ну ты что, несчастна с ним, что ли? Ну ты недоедаешь, что ли? Ну тебе что, нечего надеть? Ну тебе что, не надоело молчать? Чего ты молчишь?»

Гости непрерывно кричат: «Любим, любим, уважаем, ценим, знаем, понимаем!»

Ты можешь присоединить два слова?

Мол, обожаю встречно, Гриша, не представляю себя с другим. Или представляешь?

— Квартира есть? — мы спрашиваем тебя.

— Есть! — мы отвечаем.

— Машина есть? — охарактеризуй быт.

Как поднялся в доме быт?

Охарактеризуй уровень — повысился уровень быта в семье?

Почему посторонние люди должны по дереву стучать, а ты молчишь?

Кто умный, кто заботливый, кто терпеливый?

Это всё о нём.

Ты с кем живёшь?
Может быть, ты не согласна с ним в чём?
Давай, выдай альтернативу — мол, не то...
Охарактеризуй, кто он на самом деле, — ну давай.
Что ты спишь под крики «гений, великий».
Ну-ка — как счастлива? С кем?
Давай подлиннее.
Охарактеризуй чувства свои.
Народ не дурак.
Народ хочет слышать, с кем живёт великий человек.
Нет, не могут они при людях — всё наедине норовят.
Исподтишка ночами шпыняют.
Когда мы беззащитны.
А в глаза толпе правду — мол, не могу жить без него — нет!
Очень они ценят свои слова.
Это тебе не по телефону болтать — это при всех.
Тост при всех для мужчины.
Ничего не значит.
Отрицательных тостов нет.
Никто не скажет: «Пью за то, чтоб ты подох».
Все тосты положительные — потому что мужчины им значения не придают.
А женщина войти в эту воду боится...
Ей отрицательное во что-то надо поместить.
Иначе каждый скажет: «Что ж ты днём одно, а ночью другое...»
Вот и смысл...
Мужчина мужчину ночью не видит.

От этого неизвестно, что бы они друг другу ночью сказали.

Понял, в какое время суток смысл жизни проявляется?

И праздничное скопление людей ничего не проясняет.

Правда начинается немного позже.

Твоя задача — не искать правду в тостах.

Либо выключить звук, либо быть уверенным в себе и не придавать значения.

Твой тостующий друг.

Когда она с отвращением смотрит на наше лицо и фигуру, мы тешим себя мыслью, что это неумная женщина...

Остроумием, напряжением, быстрой сообразительностью ты заставишь её посмотреть в свою сторону...

Посмотреть и улыбнуться.

А он войдёт и будет молчать.

И она уйдёт с ним.

Знаешь почему?

Он — это ты в молодости.

Формула успеха: чтобы это нравилось всем и ещё одной женщине.

А если хороший человек пишет плохие романы.

А сволочь пишет хорошо.

Кого из них мы возьмём на необитаемый остров?

## ОНА О СЕБЕ

Я не знаю, что делать, чтобы не нравиться мужчинам.

Высморкаться?

Или вспотеть?

Или глиной измазаться?

Липнут и липнут.

В чём бы ни была.

Куда бы ни шла.

Что бы ни говорила.

Балахоны на себя надеваю.

Галифе какие-то.

Вычисляют, сволочи.

Что бы я ни сказала: мама болеет, с работы увольняют:

— А что вы сегодня вечером делаете?

Сплю!

# МОЛЧАНИЕ — ЗНАК НЕСОГЛАСИЯ

Сегодня честный человек стал другим.

Он не говорит, не возражает.

Он соглашается, но делает по-своему.

Он не знает ничего утомительнее и бесполезнее возражения, спора.

На что силы тратить?

На подсвечивание себя в темноте?

Кого вы сумеете убедить?

Того, кто прекрасно вас понимает и поступает, как раньше.

За это ему платят — деньгами, должностью, мигалкой.

Он согласится и не изменится.

Как и вы.

Только путь его нечестен.

Ваш, по крайней мере, честнее.

Ему не верят, но подчиняются.

Вам не подчиняются, но верят.

Вы не можете, как он.

Он не может, как вы.

Вы оба живёте, как того хотите.

У него лозунг, у вас жизнь.

Он придумывает старым вещам новые имена.

Вы называете вещи своими именами.
Его поддерживает большинство.
Вас — друзья.
Вы живёте своей жизнью.
Он — чужой.
Вы выбирать друзей можете.
Он — нет.
Каждому своё.

А говоря грубо, ещё в советское время стало ясно: молчание — знак несогласия.

## ТЕМНОТА

Мы помним тех, кого обнимаем, и их возраст становится невидимым. Голос. Шёпот. Слова, темнота. Мы обнимаем свою память. Всё те же. Всё те же.

Мужчина протянул мне его собственную фотографию:

— Подпишите на память о нашей встрече.

Я подписал.

Когда евреев много, в их поведении возникает какая-то логика.

## ЛЮДИ И ПЛАНЕТЫ

Скоро будет хорошо, а чуть позже будет очень хорошо.

Но потом — уже после этого — будет очень плохо.

Но недолго.

Потом опять хорошо, хорошо, хорошо, очень хорошо, ещё лучше, ещё лучше — бац! Плохо. Очень плохо. Ещё хуже. И долго хуже, хуже, хуже.

И когда все потеряют надежду... Бац... Хорошо. Долго хорошо. Долго хорошо. Немного позже ещё чуть лучше.

А уже потом — общий капец.

Огромная волна, тёплая, с Сибири покатит вниз на Африку.

Нет, кто-то спасётся...

Скот мелкий, люди, те, что полегче...

Донесёт до Африки с рюкзаком — там бросит.

И все, кто спасся, будут обустраиваться.

Бананы собирать.

Антилоп разводить...

И опять будет хорошо.

Долго... Хорошо, хорошо... хорошо... Пока волна холода снизу не пойдёт наверх.

До Сибири добросит скот, людей, бананы, львов, слонов, и люди опять начнут коров разводить, хлеб сеять, и опять будет хорошо, хорошо, долго хорошо...

Тем немногим, кто выжил.

И они будут жить, жить, жить, пока с другой планеты стрелять не начнут...

Так что жить надо сегодняшним днём.

# МОИ МЕМУАРЫ

**А** у меня совпало. То, что сейчас мемуары, раньше были пророчества.

Оказывается, я предсказал всё.

Последнее, что я предсказал, случилось сегодня.

Жаль, не успел запастись.

Всех предупредил, сам не успел.

Мемуары — то, что помню.

А склероз — то, что забыл.

Склероз — очень полезная и очень нужная часть мемуаров.

Мемуары пополам со склерозом.

Он сказал что-то шёпотом — в пустой комнате раздался смех.

Он так и написал.

Он что-то сказал, но не помнит — что.

И кто-то очень известный, он не помнит кто, что-то на это ответил.

Что — он тоже не помнит.

Единственное, что он помнит, — это было зимой.

Какой зимой и что это было, он сейчас не скажет. Надо подождать.

Но он точно помнит, что никогда не разочаровывался в себе.

У тебя диабет.

Тебе нельзя сладкого.

Оставь эту женщину.

Если она балерина и её не возбуждает вид собственных ног, то и мне это не передаётся.

Всё в России требует согласования.

Ответ «да» или «нет» поступает через полгода.

Всеобщая нерешительность.

Ожидание приказа, чтоб снять тяжесть и ответственность.

А что там за ответственность такая!

Скорее за свою семью, чем за клиента.

Вот эта борьба между благополучиями и есть система согласований.

Просьба — зависть — деньги — благополучие — ответ.

# О МОЛОДЁЖИ

На моей площадке молодая собака бодро вытянула старушку на поводке из кухни.

Затянула её на пустырь, в кусты, в газоны, потянула, куда ей надо.

Тащила старуху по своим делам.

Они с бабушкой обнюхивали столбы, бегали знакомиться, лаяли на чужих, отдались безобразному облезлому псу на пустыре.

Всё перевидели, всё пережили и побежали домой перекусить.

# ПРОБКА

А я говорю, что Тверская и Садовая не пересекаются.

И никогда не пересекутся.

И площадь Маяковского — миф.

Там нет никого.

И Зал Чайковского, и Театр сатиры — выдумка всё — мираж.

Я выехал из дому, простоял у ворот в пробке день и вернулся к вечеру.

На следующий день снова заправился, снова выехал из ворот.

Машина у меня прекрасная.

Продукты захватил.

Газеты, воду, соль, лекарства.

Прослушал всё радио.

Прочёл все газеты.

Простоял день. Вернулся.

Из квартиры вышел, сел в машину.

Из машины вышел, сел в квартиру.

Они часто рядом стоят.

Иногда машина стоит чуть дальше квартиры.

Где кому нравится сидеть.

Я слышал, говорят, Пушкинская и Садовая пересекаются.

Не верю я.

Если б не машина, я пошёл бы посмотрел.

Но мечтал. Купил.

Сижу посреди дороги, пока не надоест.

В туалет выскочу, думаю — ну, угнали.

Возвращаюсь — идиот я.

Как её угонишь?

Куда? С дороги не выгонишь.

Сейчас она у меня на Ленинградке стоит в глухом заторе...

Я — в кафе рядом тут.

Почти все водители в кафе...

Те, кто рядом живёт, дома лежат.

Просили позвонить, если тронемся.

Да кто там тронется...

Скорее мы тронемся.

Многие сигнализацию отключили.

Самое безопасное — машину в пробке держать.

Ни угнать, ни выгнать.

Только краном с тротуара на глазах у всех.

Я думаю, что угон, как бизнес, скоро отомрёт.

Даже на запчасти. Для кого?

Большинство так в пробке и оставляют.

С утра из дому вышел. Сел. Прогрел. Захлопнул дверцу и ушёл.

Прочли — реконструкция Садового, эстакады.

Кстати, на эстакаде стоять ещё приятнее — сидишь вверху.

Народ весь внизу.

Домино. Пиво.

Воблочка, водочка.

Гаишник какой-то молодой, видимо, с переулка пробрался:

— А ну, дыхни.

— Ну, дыхнул.

— Не смейте за руль садиться.

— А где мне сидеть? На крыше? Могу стоять за рулём. Могу лежать за рулём. Это ездить пьяному нельзя. А стоять могу рядом с машиной. Я из машины налью и выпью на асфальте. А ты стой рядом. Жди, пока тронусь.

Гаишник плюнул.

Обратно в переулок забрался.

Сейчас очень ценится машина с туалетом, кроватью, столом и совещанием.

Иностранную делегацию тут принимали посреди Тверской.

Правда, после приёма тоже не могли разъехаться.

Так и стоят.

Встретили хорошо, а проводить не могут.

Враждебность появилась.

Риторика обострилась.

Сверху Москва — город очень красивый.

Глянешь — стоят роскошные дома, а между ними стоят роскошные авто.

Осталось врыть и жить.

Или жить и врыть.

Или выть и жить.

В общем, жить неподвижно.

Стабильность называется.

# ЗАДУМЧИВЫЙ В ГОРОДЕ

В Одессе:

— Ну, как твои зубы?

— Зубы, зубы... Что зубы? Хорошо зубы.

— А как здоровье?

— Здоровье, здоровье... Что здоровье? Ничего здоровье... Здоровье...

— А как дети?

— Дети, дети... Что дети? Ничего дети, нормально дети... Что дети? Дети, жена... Кого это интересует.

— Ну, я же спрашиваю...

— Спрашиваю, спрашиваю... Спрашиваю — это не значит интересуюсь.

— Я вижу, ты похудел.

— Похудел, похудел... Что похудел? Да, похудел... Похудел, похудел, похудел... Ну, похудел. Характер плохой.

— У тебя плохой характер?

— Да, да... Характер, характер. Думаю много.

— Не думай.

— Не думай, не думай... Почему — не думай?.. Просто не думай... Не думай. Хорошо, хорошо... И что будет?

— Проще... Тебе будет проще...

— Мне будет проще... Мне будет проще... И для чего? И что это мне даст?

— С тобой будет легче общаться.

— Со мной? Или мне?

— С тобой...

— А сейчас?

— Сейчас тяжело...

— Почему?

— Ну, ты же в своих мыслях.

— В своих мыслях... В своих мыслях... А в чьих мне быть?

— В своих...

— Я в своих мыслях. И тебе тяжело?

— Да...

— И тебе тяжело... И тебе тяжело... Хорошо...

— Что хорошо?

— Хорошо...

— И ты бы спросил меня, как я живу.

— Как ты живёшь... Спросить... Спросить, как ты живёшь... Спросить... Хорошо... Я спросил.

— Я построил дом. Заходи... В Мукачевском переулке. Ты в университете работаешь... Ты можешь мне помочь... У меня сын поступает.

— Сын? Сын, сын, поступает... Сын... Я в университете работаю. Сын у него... Сын... Я в университете работаю... Хорошо... Хорошо... Хорошо... Хорошо...

— Чтобы его в армию не забрали...

— Куда?

— В армию.

— В армию, в армию... Я в университете работаю... Я в университете работаю... Вот, значит, где?.. В армию не забрали... Ладно... Ладно — хорошо. Ладно-ладно-хорошо. Ладно-ладно-хорошо... Тут важно, что я в университете работаю... Вот, значит, где... В армию... В армию... Зайти надо в армию... Сходить... Зайду пойду... Да завтра же... Или сегодня вечером... Да... Пойду...

После появления её на экране он сказал:
— Человек должен стариться дома.

Он пошёл.
Слышит шаги чьи-то.
Остановился — шаги прекратились.
Он двинулся, прислушался — шаги за ним.
— Да это же я! — закричал он. — Слава богу!
Нет! Ошибся.
За ним вначале шли.
Потом приехали.

Главное, дети мои, чтобы у вас не появилась мысль, что чем вы становитесь лучше, тем я становлюсь хуже.

У нас в стране лозунг «Сегодня мы живём лучше, чем завтра!»

А нарушить закон Ньютона можно только один раз.

# КОСТЮМ

Девочки, помогайте мне.

Я не буду шить.

Я буду покупать готовое.

Я пять раз пробовал.

Пять раз замечательные кутюрье с помощью ниток и фантазии создавали из меня бригадира богатого колхоза семидесятых.

Крупного челночника девяностых.

Бухгалтера мафиозной бригады из Ростовской области в костюме с чужого плеча. Причём этот костюм был отобран им у порядочных людей...

Я себе не нравился всегда.

Но в этих костюмах никакая правда о моей натуре не мешала выявить глубоко скрытые пороки.

Кутюрье и их дамы со шпильками во рту были в восторге.

Я не помню случая, чтоб я смотрел на себя спереди, не будучи заколот булавками сзади.

Показывали сзади только на булавках спереди.

Кто должен был мне вставлять булавки в театре или в гостях?

А друзья говорили: «Михаил, ты должен любить себя, ты не хуже других».

Пока не попадалось зеркало.

Женщина, встретив зеркало, замолкает навсегда.

Я, встретив зеркало, начинал долгий разговор.

— Красота мужчины в другом, — говорил я зеркалу.

В чём в другом, и когда дойдёт до другого, и каким красивым я окажусь в другом зеркале?

Мне в одежде не только передвигаться, мне красоту телосложения хотелось бы как-то прикрыть или подчеркнуть.

Чем брать? Умом или костюмом?

Сорочкой, которая не только чтобы не гладилась, но и чтоб не пачкалась.

Мне чтоб галстук немнущивыщи был.

Мне к нему платочек из кармана торчащивыщи был.

И всё это не для себя же...

Мне чтоб остальным было со мной терпимо.

Не для себя же мы обстригаемся, одеваемся, в журналы глянцевые погружаемся до отражения лица в туфлях и часов в зрачках.

Я одежду не терплю, я на неё надеюсь.

Не оправдала надежд — всё.

Халат, тапочки, котлеты — и у окна.

Может, кто-нибудь покрасивей пройдёт?

Когда я прислушался к своим словам, оказался либерал, чёрт возьми!

Он говорил на языке, напоминающем английский.

Женщина — форма, которую мужчина наполняет содержанием.

Появились несвободные, но независимые.
И свободные, но зависимые.
Деятели искусства.

Я в Лондоне. Неправда, что люди всюду одинаковые.

— Вы любите деньги!
— Да. Но не все.

Любопытство — предвестник мышления.

Решение простить — это решение.
Это не чувство.
Это решение.
Принял решение — всё!

Приобретать недвижимость в виде должности.

— Вы — женщина, эти цветы — для вас.
— Что я должна делать? Мне даже некуда сесть!
— Садитесь на цветы, вы — женщина!

Граждане! У меня нет желания восстанавливать лицо по черепу, вычислять зад по лицу, сообразительность — по внешности.

Я даже не могу определить характер по поведению.

По человеку не могу предсказать ни будущее, ни даже его прошлое.

Только то, что вижу.

А об этом неохота говорить в такой день.

Такой концерт!

По пять пальто люди в гардеробе забывали.

Выскакивали в чём сидели!

Мужчина — это призвание.

Женщина — это профессия.

# СССР
# ТУЗЛУК

Село под Одессой.

Тузлук.

Солевые места.

Отсюда и название.

Воды нет.

Электричество есть.

Мужья пьют.

Бабка Ляна рассказывает о муже:

— Прыходыть пьяный и сцыть. Я його до хаты не пускаю. В комори ночуе. Грозыв зависыться. И зависывся. Мы глянули — висыть. Ще дышав. А мы дверь тихо прыкрыли. И сыдилы в кимнати, пока не помер. Галка своего сапкою порубала в огороди. Пьють. Скотыну рубають. Всё з дому продають. Знущаються. Я зараз одна. Тыхо. Чысто. За худобою хожу.

Индюки, утки, качки... Они сами куда-то ходят, возвращаются.

Даже больная, она встаёт и даёт им корм.

И в будни, и в праздники.

С шести часов.

Они жрут всегда.

Кабанчик-сволочь.

Только отвернёшься — морда в перьях — «вже курку зъив».

Ест, подлец, курей.

Тоже надо следить.

Дождя нет.

Пыль толстым слоем.

Воробей взлетает, как ракета, — куча пыли.

Тракторист косточки абрикосовые бросает в пыль, разбивает каблуком сапога.

Скажешь ему «здравствуйте», он бросит в пыль косточку, разобьёт, подберёт, разберёт, съест и ответит: «Здравствуйте».

Друг жениха, который только на свадьбе стал интеллигентом:

— Позвольце, я рассказу притцу... Шёл путник. Внутренний голос говорит ему: «Останавис, сейчас будзет трещина...»

Он останавился и трещина была.

Идзёт дальше... «Останавис, сейчас будзет камнепад!..»

Он останавился — абрушился камнепад...

Он пошёл...

В общем, выпьем за то, чтоб внутренний голос заткнулся — сил нет.

Фиктивными могут быть не только брак, но и любовь, и независимость, и самоопределение, и волеизъявление населения, и парламент, и благосостояние.

Я поздоровался с министром.

И он тоже хорошо отнёсся ко мне, чуть не ответил.

У него так лицо дрогнуло — мол, и вам...

Но тут же застыло.

Надо будет у него что-то попросить.

## СЕМЕЙНОЕ СЧАСТЬЕ

Он немец. Она русская.
Общаются по-английски.
На нём оба говорят плохо.
Поэтому не ругаются никогда.
Каждый долго думает перед тем, как высказаться.

Иногда кажется, что иметь много друзей — это компенсировать отсутствие личности или таланта.

В Одессе не помещается толпа в трамвай номер двадцать восемь.

Кондукторша кричит:

— Не волнуйтесь! Мы заедем за вами на обратном пути. Честное слово!

Такой у меня город.

# КОГО МЫ НЕНАВИДИМ

Список!!!

Мы ненавидим:

— богатых
— образованных
— предприимчивых
— успешных
— интеллигентных
— иностранных
— всех соседей
— чернозадых
— чёрных
— жёлтых
— косоглазых
— приезжих
— торговцев
— автомобилистов
— пешеходов
— политиков
— проституток
— начальников
— работящих
— всех сук отмороженных
— паскуд вонючих
— придурков и придурок
— пагубных мусоров поганых

— вертухаев, в душу употреблённых

— всех баб, что со всеми нами без разбору

— кассиров всех мастей и народностей

— таможенников на всех участках Государственной ордена боевого Красного Знамени границе вокруг, блин, нас

— интендантов-завхозов — кровопийц и ханыг

— ворюг

— очкариков на любой должности

— а также чересчур хитрых, чересчур умных наших, говорящих по-английски, по-французски, по-испански.

А вот тех, кто по-немецки, — уважаем, ибо побеждали не раз.

Уважаем говорящих и думающих матом.

Ненавидим употребляющих салфетку для рта и зада. Занудны.

А также всех тех, кто говорит «извините, только после вас, мадам» и прочих врагов.

В то же время нет лучше нашего интеллигента.

Ну, нет и всё!

Она оставила о себе впечатление, от которого не так просто было избавиться на условиях анонимности.

Он сбегает от жены.

Она — от мужа.

Уезжают.

Становятся вторыми мужем и женой.

Тайно бегают к прежним, как к любовникам.

Опять возвращаются.

Опять начинают с начала...

Бегают ко вторым...

Почему так происходит?

Никто не мог объяснить.

Я снова в Мариинке.

И мне говорят впереди сидящие:

— Мы сядем перед вами так, чтобы вам было видно. Я пониже, я сяду перед вами.

Я снова в Ленинграде!

Какие бы позы он ни принимал, он нёс чушь.

У нас в Торонто пробки добрые.
Это не Москва.

Вино — медленный болезненный процесс.
Водонька — выстрел.

В том, что он дружит со всеми, а живёт со мной, — ваше спасение.

У него то мысль неразборчива, то слова.

# НАШИ ЛИБЕРАЛЫ

Демократы и либералы в России вечно спорят.

В советское время они спорили с кем-то, сейчас спорят между собой.

Они не могут доказать свою правоту, так как спорят между собой.

И самый умный опровергает самого себя...

То, что они говорят, — верно, но не умеют хватать женщин за волосы, плевать в противника, бить стекла, захватывать помещения.

Обращаясь к толпе, они рассчитывают на умных людей.

В этом их главная ошибка...

И они опять спорят друг с другом.

Это наши либералы.

Они здесь проиграют.

Они и там проиграют.

У них хорошо получается критика существующего строя, так как они не хотят врать.

А вот объяснить, какой жизни они хотят, они не умеют, по той же причине.

Не хотят обещать, т. е. врать.

Не хотят.

А не имея простоты и доходчивости, то есть вранья, они проигрывают, проигрывают...

И страна наша, непрерывно выделяя взяточников, негодяев и отравляясь ими, отделяется от дна, но не доходит до поверхности.

— Как посидели?

— Нормально. Только самого маленького нет. Сказал: «Я в магазин» — и вышел.

Хорошо, потом сообразили, что это балкон... Но... Да... Вот так...

Весна.

Дворник слёзы подметает.

Всё, что было на ней: мини-юбка и огромный синяк.

Ничего нет прочнее платонической любви.

В советское время не платили, а «вносили» деньги — за квартиру, за телефон, за путёвку.

Тому, кто в этом жил, так приятно сегодня «я заплатил», а не «внёс» деньги куда-то.

# Я ЗДЕСЬ НУЖЕН

Алкаш под будкой говорил:

— Мне нельзя в провинцию.

Я ещё очень нужен здесь.

Когда перестану быть нужен здесь, а буду нужен там — я поеду.

Здесь и так бардак, а без меня — развал.

Я культурный, воспитанный, пьющий человек.

Я ясно вижу своё место в этом городе.

Оно сейчас занято оборзевшей, отупевшей массовкой, купившей на базаре дипломы.

Идёт процесс жадного насыщения.

Часы не для времени.

Грудь не для младенцев.

Жильё не для отдыха.

И книги предсказателей вместо мыслителей.

Религиозность как одежда.

Подвиг как пиар.

Короче, я пока здесь нужен.

Это рухнет, Вася.

Ибо висит в воздухе, не имея опоры.

Если не рухнет — такое может быть!..

Я уеду пить в провинцию.

Там меня очень ждут.

Я-то знаю, что я здесь нужен.

Они все не знают.

Я имею вид проигравшего.

Да, Вася, хотя на зоне я их буду учить, и они меня запомнят.

Они думают, что я им рассказываю то, что было.

Нет! То, что будет!

Я-то знаю.

Этот воздух вреден только для лёгких, сердца, крови, а само тело не страдает.

Скелет, кости.

Стопа крепкая очень.

Всё отказывает, стопа держит.

Зубы рушатся, щёки стоят.

Зеленеют, но стоят.

Обнявшись, держаться легче.

Вдвоём, втроём.

Обнимешься и дышишь.

Только коленки дрожат.

Кислород весь снизу...

Нагнуться надо, чтоб вдохнуть.

Или лёжа.

Не на шестом этаже, конечно, а на почве.

Отдышался и вновь побрёл к центру, цепляясь за указатели, к работе стремясь, к зарплате стремясь.

И больничным листам.

Дошёл до работы и пошёл на больничный.

Дышать надо редко и неглубоко, зачерпывая снизу.

Ну, до встречи под капельницей.

# ЖУЖЕЛИЦА ТЫ МОЯ

Пчёлка ты моя.

Жужжишь, жужжишь.

Ни черта не работаешь.

Только жужжишь, цикада проклятая.

Почему ты столько болтаешь?

Ты не чувствуешь того, кто сидит напротив.

Он уже не слышит, а ты всё жужжишь и про то, и про это.

Ты хороший специалист, но неимоверный, затяжной, дикий разговорник.

Уже не слышно отдельных слов, только фамилии.

«Не знаете его?» И пауза... «Не знаете его?» И пауза.

«А?.. Что?.. Кого не знаете?»

Но она уже говорит дальше.

Выматывающе говорит.

И не уснуть, и не проснуться.

Она в дверях, ты на кровати.

Это больница.

Она доцент.

Хотя бы поменяться местами.

С кровати не уйдёшь, не упадёшь...

Дикая дневная дремота с открытыми глазами под нескончаемый поток...

Она уже не о медицине.

Она уже о литературе.

Она уже о выборах.

Она уже об Америке.

— Как вы мне шестьдесят рублей — так я вам килограмм. Очень просто.

— А я вам — пятьдесят.

— А я вам восемьсот грамм — ещё проще.

— Годится.

— Прошу.

Маленький и большой сидят за столом.

Большой рассказывает маленькому, как он бил рожу двоим, троим, четверым.

Маленький спрашивает:

— А вы можете совсем без причины?

— Могу.

— Избить?

— А как же...

Чистит апельсин в чёрных перчатках. Нависает над маленьким:

— Видишь значок — потрогай.

Маленький трогает.

— Выбираешь самого здорового и бьёшь. Остальные падают в салат.

— Вы можете убить?

— Могу. Я собой не владею. Я и боли не чувствую. Меня бьют, я не чувствую. Вот идут на меня трое. Я беру и отодвигаю двоих. Просто раздвигаю. Один в салате, другой в холодце. Остаётся сколько?

— Один.

— Три. Я их подсечкой разметаю. Показать?

— Да нет. Что вы?

— Я не люблю этого делать, но надо! Ты заплати за ужин. Я отдам.

— Да, да, — сказал маленький. — Я уже. Давно. Я боялся уйти.

И исчез.

# ОДИНОКИЙ СРЕДИ НАС

Самое ценное в нём — честность.

То, чего уже нет у всех.

И что связано с большим личным мужеством.

Самое ценное в нём — отсутствие равнодушия.

Что тоже связано с большими неприятностями.

Это активный член Общественной палаты, самый боевой в организации инвалидов, пострадавших на поприще гражданского мужества, связанного с личным бесстрашием.

В свои годы он ещё сохранил в глазах немой вопрос, за который тоже неоднократно призывался к ответу.

Пройдя через всё, будучи бывшим главным, будучи младшим и нынешним никаким, он сохранил острые углы, избежав спрямления и закруглённости.

На вопрос, как он работает, может ответить:

— Плохо! Я ещё работаю... Это юмор... Не каждый, не каждый...

Когда всё население обтачивает и закругляет друг друга, как гальку, он сохранил острую угловатость и колющую нетерпимость своего характера.

Жаль, остался в полной изоляции.

Ещё мог жить и жить среди нас, но не смог.

Запомним его таким.

Ночью мне снится, что я сплю в аэропорту и с меня сняли часы.

Сплю и радуюсь, что это во сне.

Да... Лучше бы не просыпаться.

Но тут объявили посадку.

Интеллигенции и народу нужно разное.

Интеллигенции — Ельцин.

Народу — Путин.

Они забыли, что Ельцин рекомендовал Путина.

Мои творческие планы просты: я рассказываю о том, что у нас было, а вы догадываетесь, что нас ждёт.

Человека надо злить.

Он злой хорошо работает.

Злой, он отстаивает.

Злого не переубедишь.

Злой доведёт до конца задуманное.

Важно поймать, разозлить, натравить и отпустить.

Разница между социализмом и капитализмом — как между водкой и наркотиком.

Либо мёртвый от пьянства.

Либо тяжёлый от сновидений.

Кстати: ошибочно думать, что все смеющиеся на вашей стороне.

Кто-то обязательно:

— А хотите, я вам скажу, что я на самом деле думаю?

Оценил. Но не согласился.

Тот, кто не чувствует себя в безопасности в этом государстве, является главным источником опасности в этом государстве.

Каждый из нас созревает.

Как яйцо — греется, греется, вдруг начинает биться...

Это сердце?!

Как? Откуда?

И также вдруг останавливается.

# КВН

Она поздно пришла домой.

Муж спрашивает:

— Где была?

— На встрече КВН.

— Ну как?

— Много ерунды. Лучше всего приветствие одесситов. Вот посмотришь.

Он сидел, смотрел КВН, а одесситов вырезали.

Тут муж и говорит:

— Где ты была?

И сослаться не на кого.

Все, кто был на встрече, видели одесситов.

Дальше обычное:

— Так ты мне не веришь?

— Я тебе верю, но посуди сама.

Она плакала, а ведь могла пересказать приветствие, и всё...

Но в её состоянии, в том положении...

Рыдая, пересказать этот юмор...

Они помирились.

Но стали осторожными.

# СЕНЯ

**Н**ельзя кричать среди другого народа:

— Мы — умны!

Кричат от комплекса.

А с другой стороны, их и слушать не стоит, тогда они не будут кричать.

Как сказал мой знакомый:

— Вот здесь, в Израиле, я впервые себя почувствовал не евреем. Я всюду еврей, а здесь я кто хочу: жирный, щедрый, скупой, тупой. Но я не еврей.

Я не хитрее всех.

Я не умнее всех и не хуже всех.

Я не хочу лезть ни в кандидаты, ни в депутаты.

Я хочу делать, что могу.

Единственное, что мне здесь нужно, — язык.

Вот им я и пользуюсь.

Сейчас люди работают коммунистами, патриотами.

Выходят к девяти.

Вот это всё несут.

Всю эту полемику.

Со страниц, с трибун.

И возвращаются к восьми домой уставшие.

И в отпуск ездят, где говорят о клубнике, о женщинах.

Играют в теннис, отдыхают.

Кончается отпуск, приступают к работе.

С десяти утра: коммунист — об эксплуатации, патриот — о засилии, население — о пропитании, милиция — о пьянстве.

Умный молчит.

Юморист смешит.

Врач успокаивает.

Всё это начинается сразу после отпуска.

То есть с первого сентября и до следующего лета.

Как бы мы ни крутили, что бы мы ни двигали, а главное остаётся традиционным, как женское тело!

Всю жизнь я задаю вопросы.

Задам вопрос и любуюсь им.

На ответ не рассчитываю.

# СОРНЯКИ

Наташа пропалывает:

— Не расти, не расти! А ты — расти... А ты — нет. Нет! Нет!

Почему мы вырываем сорняки?

Их нельзя оставлять.

Они агрессивные, сильные, у них мощные корни, и они забивают слабых, но полезных.

Сорняки — ядовитые.

Рождаются и всходят массами по недосмотру мгновенно.

Необходимо упорно и бесконечно вырывать сорняки.

Ибо бездарности растут сами.

Буйно.

Мы уже лет двадцать не вырываем их из земли.

Забьют они нас.

Борьба с инородцами внутри страны — чистое развлечение.

Они влезли в рынки, в медицину, в банки и мешают нам занять их места.

Человек, бьющий свою жену, хорошо виден на банкете, на балу.

И народ, бьющий в своей стране инородцев, тоже хорошо виден на курортах.

Это развлечение требует всех эмоциональных и умственных сил.

Эти люди не учатся, не изобретают, не работают.

Отсутствие открытий, прогресса, науки в странах, преследующих своих граждан из-за национальности, — и есть результат этой работы.

В Одессе во время спектакля на сцену выскочила костюмерша:

— Воруют!

Актёры побросали свои роли, бросились за ней.

И только один продолжал играть.

То ли у него украсть было нечего.

То ли верил в силу искусства.

То ли думал «чего бежать, уже украли».

Доиграл до конца свои слова, чужие начал...

Один...

Премия — путёвка в санаторий... А как же!

Женщины! Слушайте сюда!
Наблюдайте мужчин только в деле.
Не в одёжке.
Не в беседе.
Не в еде.
Не в танце.
Не в шутке.
Не в спорте.
Поглядите его в работе.
И решайте себе — влюбиться или нет.

Вы неискренно спрашиваете, а я должен искренно отвечать?

Герои-монументы не вечные.

Песок вечен.

Атом вечен.

Мы пересыпаемся.

И создаёмся заново.

Рождаемся, учимся видеть, слышать, говорить.

И, наконец, мыслить.

Быстрее всех исчезают звуки.

Потом — знаки.

Потом — создания.

Потом — произведения.

Потом — мысли.

Мосты между эпохами из самых прочных созданий и произведений.

Их приходится сберегать.

Реставрировать, укрывать.

Этого не требуют мысли и цитаты.

Они в вечном употреблении.

Откуда они взялись, уже неизвестно.

Тигра можно отвлечь огнём, волка — флажком, комара — запахом.

Человека от себя отогнать нечем.

Он привык ко всему.

Беги, если можешь.

Если не можешь, сиди с ним, живи с ним...

Корми его. Одевай его.

А чем ты его привлёк?

Не помнишь?

Чем теперь спасаться?

Если станет хуже, он не уйдёт.

Он тоже станет хуже.

Не поймёшь, что посоветовать.

Объяви, что это ты с ним живёшь.

Что это ты прилип, привык, привязался.

И что тебя уже не отогнать.

И даже когда у тебя закончатся еда и деньги, ты будешь с ним всегда.

И теперь ему надо придумывать, как сбежать.

Может быть, у него что-то получится.

Может быть, он это она.

С возрастом всё меньше женщин мне не нравятся.

Мы попали в такое время.

Некоторые сегодняшние кумиры стали известными через наше отвращение к ним.

Так и не преодолев наше отвращение, накопив известность, они переходят к популярности, как им кажется.

А запах не слабеет.

И все помнят, откуда запах и почему их узнают.

И вдруг совершенно неожиданно среди дождя, в незнакомом месте, без денег и продуктов, оказался я — в хорошей одежде и прекрасном настроении.

Когда я живу, я унижаюсь.

Когда пишу, я свободен.

— Что вы делаете, когда вам говорят: «Вы — талант»?

— Краснел раньше.

У рояля остались родные и близкие.

Сейчас кричат со сцены:

— Не слышу ваших аплодисментов! Не вижу ваших рук!

Скоро будет:

— Не слышу вашего смеха! Не вижу ваших слёз! Не вижу растроганных лиц... Не чувствую волнения в зале! Не желаю слышать молчание!

В исполнителя закладывается текст и реакция на него.

По команде аплодируют, плачут, смеются.

Впечатление от концерта, как впечатление от потраченных денег.

Что остаётся свободному человеку?

Искать собеседника, который сегодня важнее писателя и актёра.

Интересные вопросы мы задаём друг другу:

— Ты поспал, Миша?

— Поспал, не поспал... Главное — больше не хочу.

— Ты поел, Миша?

— Поел, не поел... Ну, поел...

Это ж не тот вопрос. Ты спроси:

— Кушать хочешь?

Тогда я чётко отвечу:

— Да, хочу.

То есть поесть-то я поел, но я хочу ещё.

И ты это почувствовал.

— Да, — мямлишь ты. — Я спешу...

— Понятно, что спешишь, а мне что делать?

— Да, — говоришь ты и думаешь: «Дёрнул меня чёрт спросить!» Не спросить... — Спросил ты хорошо, ты не сформулировал, — говорю я и продолжаю: — Если ты, Изя, честный, то и вопрос твой, Изя, должен быть честным. Вот таким: «Слушай, ты кушать хочешь, Михаил?»

Но! Задавая такой лобовой бронебойный вопрос, будь, Изя, готов к ответу!

Будь грузином, Изя!

Потому что я скажу тебе:

— Да, — скажу, — Изя, — хочу! Вот... Хо... чу... Вот...

— Ноу проблем, — должен ответить ты, изображая радость.

То есть мой аппетит — это твоя радость.

И ты говоришь:

— Я тут знаю одно место. Вот... И мы идём обедать.

Теперь ты видишь, как обернулся твой лёгкий вопрос.

Люди умные, Изя, давно заметили, что, задавая вопрос, ты должен предвидеть... Нет... Хуже и больше... Ты несёшь ответственность за ответ.

Практически отвечать придётся тебе...

Вопрос должен быть заранее сформулирован так, чтобы любой ответ дал тебе возможность устоять.

Если у тебя вертится в голове фраза «ты деньги получил?» — тоже молчи, хотя ты знаешь, что он был в кассе.

Поэтому люди так долго говорят о погоде, Изя.

Идёт общее прощупывание отношений, Изя.

Но тоже не зарывайся, как бы тебе не пришлось ему купить зимнее пальто.

Давай, малыш, закрепи́м пройденное и сформулируем накопленное.

Вопрос влечёт ответ — раз.

Твои действия — это последствия твоих слов — два.

От тебя зависит, сколько ненужностей ты привяжешь и сколько привязанностей ты отвяжешь, чтоб не остаться одному.

Иди, я поел!

Моя трибуна — кровать.

Я оттуда говорю с народом.

Вы можете поставить эту кровать на трибуну, на Мавзолей, на броневик.

Я могу говорить повсюду, но из кровати.

Стоя — ничего толкового не скажу.

Какое счастье, что мы можем любить друг друга не только весной.

А и зимой.

А и осенью.

А не как животные.

А не как звери проклятые.

А чаще, лучше, задушевнее!

Твой с поцелуем!

Выпивший человек отстаёт от ног своих.
Они идут и идут, оставляя голову позади.

Сменим злобу на темперамент.
Темперамент — на азарт.
Азарт — на энтузиазм.
Посмотрим со стороны только на себя.
Вспомним прежних себя.
Представим нынешних.
И двинемся вперёд без лжи.

# Я ПЕРЕД БОМЖАМИ

Хамом от застенчивости.

Отчаянным от трусости.

Под взглядами решиться на что попало.

Вынимать себя из обстоятельств, чтоб не проявлять силу воли.

Не попадать туда, где принимают решения, ибо не дано понять, что перевешивает.

Ибо правы обе стороны баррикад.

Все пули правы.

Нашего убили, и мы должны.

Всё правильно, если попадёшь в свалку.

И всё правильно, если выскочишь из неё.

Ходить вдоль стены.

Откликаться на всё и от этого озираться и смотреть неловко.

Чувствовать фальшь и быть жестоким.

Слушать всё, ища поддержки.

И думать о себе плохо и не уметь ничего.

И от этой работы воображением трудно подойти к человеку.

Жить всё тяжелей и всё быстрее.

Отрастить бороду.

Купить шляпу и тёмные очки.

Ещё добавить алкоголь.

Подумать о себе тепло...

Это почувствуют окружающие.

Влезть без очереди в очередь за дешёвой водкой.

Цыкнуть на продавщицу:

— Катерина... Ребята ждут... А я что, не из очереди? Стой! Стой камнем, обносок! Катюнь, от белого до чёрного по одной...

Что ты суетишься, козёл сиреневый?! Ты когда должен лежать под забором?

Граждане! Очередь — это свободное построение свободных людей, в порядке подхода с одной и подвоза с другой стороны баррикад.

Наличие двух-трёх прущих против часовой стрелки только развлекает стоящих и придаёт оживление всему организму.

Кто меня не знает? Я знаменитый!

Я, оказывается, здесь живу и буду бить рожу всем, кто меня не знает, и палкой всех, кто меня не хочет знать.

Отцы, члены свободного построения свободных людей!..

В порядке не совсем живой очереди моё прибытие к вам — большой праздник и наслаждение.

Я ходил к интеллигентам, но не достиг своего.

Своего я достигну здесь.

Я его найду.

Я его, падлу, разыщу, и мы подружимся.

Отцы! Нас объединяет тронутость!

Слеза, дрожащая в каждом.

Это сочится рана, открытая всем.

Сомкнёмся ранами.

Я расскажу, что там, в колеблющихся рядах интеллигенции.

Кто сказал: «Ничего хорошего?»

Ты прав, сынок, не опирайся на сигарету, держи её легко...

Как живёшь, так и держи.

Твоя опора — ноги, не забывай.

Ищи их и находи.

Старость — в ногах, малыш.

Твои рассуждения должны опираться на прочную основу дрожащих ног.

Мы примем $C_2H_5OH$ и пойдём крушить их автомобили.

Катюнь, продвинь очередь, убери эту синь больничную.

Четыре часа держится на ветру, весь разговор убивает.

Не хватайся за стол руками.

Поддерживай разговор непринуждённо...

Скажи, Аркадий, тебя насильно не лечили?..

Значит, мало...

Твоя фамилия уже значения не имеет.

Это другой разговор.

Держи бокал... Нет...

Молчать ты будешь не здесь.

Ты молчать будешь в четвёртом подъезде на втором этаже у радиатора.

Чтоб не пугать дам, возьми газету «Коммерсант» и твёрдо держи перед собой.

Кого ты оставил из близких?

И где она?.. В очереди...

Катюнь, вот тебе полтинник для его жены.

Можешь не считать.

У меня порциями для друзей.

И тебе?.. Василий...

Ты же умелец. Ты же этот кожух прибалчивал...

Не сболтил? Да, процент попадания низковат болтом...

И гаечкой на болт... Метрической, дюймовой...

Американская резьба довела тебя до нашего коллектива...

Чтоб показать, как я тебя уважаю, перестаю острить...

Да, Василий, это я острил...

Слышишь, как вся эта мудозвонь задрожала?..

Наша очередь стоит в дерьме.

Стоя за дерьмом.

Снаружи мы очередь, а внутри — коллектив.

А кто смотрит на нас невооружённым взглядом, тому мы внушаем ужас.

А я считаю, что только в нашей среде расцвет личности происходит несколько раз в день...

Сынок, это мой сольник...

Я арендую зал и оплачиваю публику.

Катюнь, налей ему — счёт мне.

Длительное пребывание в скандальных рядах интеллигенции привело меня к вам...

Я занимался чужим делом.

Я пел и танцевал, разгадывал шарады авторитарной власти, будоражил словом и без того взбудораженных юристов.

Я искал бедных, меня искали богатые.

Меня легко найти по взрывам хохота.

В результате я заработал комплекс, закрепостился и не мог мочиться на дерево.

Не надо хохотать!...

Я несколько раз мчался наперегонки с новым населением России.

Но пи́сать за десять рублей так и не научился.

И когда мой друг — пожилой хиппи Рост — подвёл меня к забору симферопольского аэропорта и сказал: «Писай, — за рубль я посторожу», — я понял, Катенька, как я отстал...

Я не смог отматывать от общего рулона и садиться в темноте...

Я любил простор и пейзаж.

Я не получил друзей, но поклонников...

А переход поклонников в противников — мгновенный.

Я стал наблюдать их скопления у других ног.

Они переметнулись строем, как рыбы...

Я крикнул: «Я здесь!»

Они сказали: «Видим».

Они шепнули: «Видим».

Они шепнули: «Любим».

Они запели: «Слава тебе!»

Но пели у ног другого.

А что я обнаружил, глянув внутрь себя, — истерзанность свободой.

А крик колеблющейся интеллигенции: «Позицийку нам дайте... Свою позицийку...» — меня доконал.

И я ушёл в партизаны. Я с вами.

Вот ты, Василий, сынок, как ты относишься, например, к грузинско-осетинскому конфликту?..

Постой, Василий, не надо столько мата.

Мат должен быть коротким.

Ты на чьей стороне в грузинско-осетинском конфликте?

Так и я на нашей...

Но нас там нет.

Я же тебе сказал: грузинско-осетинский.

Мы оба на нашей стороне, которой там нет.

Сейчас она есть.

Сейчас он российско-грузинский конфликт, что ли?

Во всяком случае, мы должны кричать на Запад.

Давай на Запад кричать, Василий!

Где Запад?.. Компас есть?

Кричим в сторону Минска...

Нет, нельзя...

Надо через Минск.

Давай в сторону Киева.

Через Киев туда и туда.

— Куда?

— Куда-куда. Ты кого проклинаешь — Запад? Ну и давай в сторону Внукова.

Давай:

— Ах вы, суки!..

Мы не Внуково проклинаем.

Давай между Внуковом и Минском:

— Ах вы, суки, подонки, сколько можно душу мотать? Присоединяйтесь, падлы, к нам.

— В чём?

— Во всём! Чего вы всё время против? Давайте вместе... Что?

— Что?

— Что вместе? Василий...

— Выпьем!

— Верно!

— Точно...

Но мы уже пили вместе.

Не хотят они пить с нами...

Не умеем, говорят, себя вести.

— Ах вы, сволочи, вонючки, мерзоты небоскрёбные...

Вот я и говорю, как враги — они классные...

И нам сразу жить хочется...

И мы туда и «Су-400», и «Искандер», и «Тополя»...

Не ля-ля-тополя.

Это ракеты, сынок.

И нам сразу интересно стало, представляешь?!

Ты, твоя жена, этот сиреневый, я, лысый этот, кривой и этот на протезе — все стоим у стойки с пистолетами...

Не бомжи, а офицеры, блин, Василий.

Дважды рядовой Михал Михалыч.

Ефрейтор Гольдберг.

И грузин возьмём.

Пусть пьют при погонах, но без оружия.

У них что хорошо — поют.

Многоголосие называется.

У нас как многоголосие, так сразу мат.

У них без мата.

А воевать мы с бабой хотим, Василий...

Тогда позиция наша: кричать на Запад, но не воевать...

Зачем долго?

Утром прокричал, днём прокричал — можно три раза в день...

Лаконично и патриотично.

Всё, Василий.

Ты можешь матом... Но не так длинно.

Ну всё, Василий, всё...

Катюнь... За мой счёт всем благодарным...

Василию двойной...

Вася, двойной виски — это не два гранёных стакана.

Это сорок грамм, Вася...

Двойная водка — это не два стопаря...

Василий, ты мне нужен.

Как собеседник.

Кофе Васе — американский.

Опять Вася матом...

Американский не сам кофе, пей свободно.

Это способ варки.

Ну, дай ему араба.

Как его эта резьба измучила...

Вот такая у меня была позиция.

Я нарезал наоборот.

Я почти перестал пить.

Завёл одну женщину.

И чуть ли не сел на диету.

Диета — это вам знакомо. Это не жрать. Вот так.

Нет, наоборот — у тебя всё есть, а ты не жрёшь и всё!

Я потерял живот, друзей и уже собирался сходить в консерваторию, где находят прибежище осколки инженерного состава.

Я судорожно поднялся до глубин философского романа.

Над которым вкалывал две недели.

Я один, безоружный, бросался на глыбу «Улисса»... Джойса...

Нет, дорогой, это не торт...

Это огромное и толстое достижение мировой литературы.

Это когда мы говорим и думаем одновременно.

Я тебя научу.

Нет, отец, не обижайся, но ты, когда говоришь, ты в этот момент не думаешь — ты заботишься о произнесении букв в словах...

У Джойса они думают и говорят...

Сам способ интересный, если бы это кого-то волновало...

Наша беседа тебя волнует.

Сынок, я бился над Улиссом и под ним...

Ничтожен, братцы...

Ты что, Василий, чтоб я принёс и вслух читал, не забывая вам налить?

Два месяца читать?..

Нет, на свободе не осилим, возьмём в тюремной библиотеке...

Он там есть. Он там не опасен. Прочитав «Игру в бисер», ударившись о Музиля и Улисса, борясь со сном и содержанием, я не стал добрее, и не уехал на Кавказ, и не разлюбил женщин, хотя роман этого требовал.

Я плюю на устриц.

Есть тысяча способов уйти от мира, не лишая его своего присутствия.

Вы, друзья мои, тот же лес, та же трава.

Я заказываю вам шелест и оплачиваю его.

Что у тебя?..

Нет! Из бокового кармана здесь не пьют.

— Кто гнал?.. Родственник из буряка...

Очень может быть...

Вам как сказали, что роза пахнет, а самогон воняет, вы так и живёте...

Единственное, чему я вас научу, — работать головой.

Если у меня ещё будут деньги, я вам расскажу, что я видел в их театрах и кино...

Это такой постмодерн...

Но об этом потом.

Катюнь, по одинарному, а то у них рассеивается внимание...

Не надо...

Я там одурел от слова «спасибо» и от криков «ваши аплодисменты»...

Вася, зааплодируй мне...

Стой! Я пошутил...

Да я понимаю, что не за что...

А у них аплодируют по просьбе, по команде. И смеются так же...

«Не вижу ваших слёз!..»

«Не слышу ваше хохотанье!..»

А от слова «спасибо» у меня ангина.

Мне его говорили. Я его говорил...

Самое невозможное — благодарность кому попало.

Лучше деньгами — ты прав.

Там есть целый район, где живут одни писатели... Ещё с советских времён.

Не надо, сынок... Я могу доказать, а ты только матом...

Есть такой район...

И метро к нему идёт...

Бьёмся... Все завтра поедем...

Ходят по улицам, в очередях, в аптеках...

Одни писатели из окон выглядывают...

Хромые, косые... Одни писатели...

Масса... Скопление...

Уродило их в советское время, до сих пор живут.

Теперь их ещё больше.

Все прохожие писатели.

А всё равно что, романы, пьесы...

А спорим, есть люди, которые читают...

Так я же тоже им был.

Они считают, что влияют...

Мол, все его прочтут и не будут воевать...

Хотя раньше все читали и воевали.

Они говорят, литература сложна, а жизнь короче.

В общем, «ну да» — это одно.

А «да ну» — это другое.

Нет, Василий, там совсем другая жизнь.

И все не живут, а ведут себя.

Один себя нормально ведёт.

Другой не умеет.

Вдруг поцелует тебя.

И все женщины целуют тебя без чувств.

Вдруг поцелует или запоёт.

К мужчинам тянутся мужчины...

Да... Ты слышал... А я видел...

Зрелище не для слабых.

Откуда я знаю...

Значит, и в мужском теле что-то есть...

Наверное, если тебя помыть, опрыскать, протереть, может, и к тебе потянутся мужчины.

Может, и заработаешь, если не будешь пить.

Юноша, как осуществить мечту?

«Если за неё выпить?» — говоришь ты.

Вот если за неё никогда не пить — осуществишь, клянусь...

Но всё равно потом...

Придёшь, как я, к свободным людям на простор.

А кто-нибудь пил коньяк?

Хотите попробовать? Екатерина! «Мартель» — немолодой, как мы.

Для нас по глотку...

И разойдёмся на сегодня...

А то я что-то заговорил стихами, мне срочно ночь нужна... Прощайте.

Всё красиво.

Дом.

Хозяйка.

Еда.

Музыка.

Встроенная кровать.

Замечательный коньяк.

И красивый уехавший муж.

Только нужно было уехать ему двадцать лет назад.

Только нужно было ей позвать меня двадцать лет назад.

И я бы не восторгался музыкой и домом.

Мне бы не хватило времени.

Сегодня, как и позавчера, ибо вчера у нас уже нет, единственной силой, не утерявшей чувство справедливости, не врастающей в землю при виде начальника, является женщина.

Наша женщина может сплотиться без озлобления, без ненависти.

Эта не женщина руководитель.

Та уже близка мужчине по согнутости и мату.

Надо сберечь рядовую женщину, мать детей наших.

Единственную, что осталась свободной.

# ЕМ РАКОВ

Мой рецепт переполненной жизни: мускатное шампанское с хамсой и борщ в пять утра.

Днём — тульский пряник макаешь в бычки в томате.

Белый батон распускаешь вдоль.

Замороженное сливочное масло натираешь на тёрке.

Посыпаешь, мажешь вдоль батона.

Повидло — две столовые ложки на полбатона.

Разравниваешь ножом.

И с брынзой, и с колбасой — в любом порядке.

Либо наливаешь в чай наливку с ромом...

И с колбасой, с ветчиной, и с дыней, и с девушкой, с детьми, и с котлетами на балконе или на пляже.

Ледяная кислая капусточка с горячим пюре — перемешать щятельно...

И с водочкой...

А в водочке — капусточка...

Кислая, ледяная прямо в рюмке...

И пиво...

Холодное, страстное, в бокале без ручки...

И одним глотком...

И рак раскалённый, большой, военный в мундире с эполетами и шпагой — полковник...

Обжигаясь, его лапу...

Сосёшь лапу левую, сосёшь правую...

Ножки выпиваешь левые, правые...

Движением пилота открываешь фюзеляж, осматриваешься — чтоб никого...

Телефон ногой в пол...

И приникаешь к его кабине...

Рак... Рак... Рак...

Пиво... Пиво... Стоп! Рак... Рак... Стоп.

Стоп, я сказал.

Пиво!.. Стоп! Хвост.

За крылышки, как юбочку раздел — и в тело.

То есть проник зубами... Стоп! Пиво!

А в тельце белое, нежное... Стоп. Пиво... Пиво... Впился!

Извините, выпил!

От рака, от всего торжественного парадного мундира остались только плавки и маечка!.. И усы...

Дальше — больше...

Стопочка... Двенадцать миллиметров водочки...

Постарайтесь поточнее...

Затем пюре с капусткой, ложечку...

И в бой!

Другой, строевой, боевой, красный третий рак.

Только не бить! Его не бить!

Левый сустав... Правый сустав...

Под одеждой покопался...

Нырнул и вынырнул счастливый...

Стоп! Звонок, звонок...

Не отвечать! Не открывать!

Не откликаться! Только задуматься...

Задумчивость счастливый миг слегка разгладит, смажет.

Стоп!.. Двадцать крупных офицеров фронтовых раздел и съел.

И нет тебе прощения там, в воде, у них.

Последний трудно шёл.

Проклятая пресыщенность — враг творчества и аппетита.

Пресыщенность прелестна таким деликатесом.

И она... ужасна, если кто узнает.

Ты понял, да...

Поковырял... Осталось три...

Кого бы мне простить из них?..

Практически достойных нет...

Рак... Рак...

И пиво...

Рак, рак и пиво...

Двенадцать миллиметров водки...

Капусточка с пюре...

С олимпиадным рёвом завершаю дистанцию.

Сустав, сустав.

Фонарь пилота, фюзеляж.

Последний... Всё... Снаружи всё и всё внутри...

А дальше что?

А вот что...

Рак с пивом изнутри поёт: «Я в шоколад хочу».

Ишь, блондиночка...

Что ж, залить контрастом можно, что ж.

Глядя на Олимпиаду, разламываешь плитку...

Плитку шоколада с холодным арбузом...

И, глядя на Олимпиаду, на их упорство, на борьбу до самого конца, ты жрёшь арбуз.

Арбуз и горький шоколад сомнений.

Ты на финише.

Остальные не пришли...

Вернее, ты не открыл...

Сидишь остекленевший.

И все, кто не был впущен, ждут тебя сегодня ночью...

Впереди дикая ночь... Без сна...

Теперь одна мечта...

Одна мечта — избавиться от той мечты как можно безболезненнее...

Что у нас в аптечке?

Да... Нет ничего печальнее судьбы деликатесов.

В России, как везде, ценности остаются прежними.

И не надо смотреть на нас бешеными глазами.

Мы — эти ценности и есть.

Дружба.

Человеческое отношение.

Порядочность.

И пока не будет доказано обратное, это не требует доказательств.

Чем больше этого, тем проще жизнь.

Короче — чтобы вам было кому позвонить в четыре утра.

Демократия бывает:

Настоящая.

Подлинная.

Очень подлинная.

И такая подлинная, что всех тошнит.

Нам нужно собираться, пока мы можем сами собираться.

Потому что скоро нас будут собирать неосторожные люди.

Сначала всех, а потом каждого.

— Да, я дал слово, — сказал бизнесмен. — Но выполню, когда у меня будет возможность.

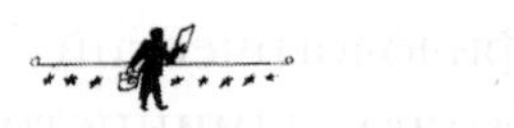

Работа сатирика и сапёрика похожи.

Только разница во времени.

Сегодня копнули — завтра взрыв.

Они приходили вдвоём.

Одна худая, как велосипед.

Другая похожая на сани-розвальни.

## БЛОХ ЭМИЛЬ ВЛАДИМИРОВИЧ

*(Наш первый администратор, бывший филолог)*

Какая упоительная женщина!

Какая у неё божественная грудь!

Я наслаждаюсь!

Хоть мне шестьдесят.

Я любуюсь грудью в этом вырезе.

Изящная, нежная, изумительная грудь... Точка.

Какая бархатистая кожа. Точка.

Сулит наслаждение... О!

Я окончил филологический.

Теперь работаю администратором у Карцева и Ильченко.

Люблю молодёжь.

Кстати, вы неправильно говорите, Роман, не «плысть», а «плыть».

А там должна быть чёрточка.

Он, чёрточка, мой враг.

Через тире.

Я, чёрточка, его враг.

Я, запятая, Блох Эмиль Владимирович, запятая, окончил одесский университет, запятая, он дал мне ту интеллигентность, через два «Л», запятая, которая вас так раздражает.

А ваша знакомая, запятая, Михаил, запятая, упоительная женщина, запятая, вызывающая то особенное, два «Н», томление, запятая, которое покрыло туманом Ваши, с большой буквы, глаза.

Да... многоточие... Так вот.

Этим вечером, запятая, сулящим наслаждение, какой-то ваш знакомый подходит ко мне и просит отпустить два билета.

Я ему говорю, двоеточие, тире.

Ничего у меня нет.

Вы просите дефицитные вещи, через «Е», то есть д-е-фицитные.

То есть те, которые временно, через два «Н», — отсутствуют.

Мкртчян, через все согласные, как в нашем обществе.

«Т» — глухая согласная.

«Ч» — шипящая.

У нас в обществе или глухие, или шипящие.

Длинношеее — сколько гласных?

Три — рекорд...

И он, наш администратор Эмиль Владимирович Блох, во время холеры вылетел с нами в Ростов.

Нам для спектакля понадобились халаты.

В Ростове ему не выписывали счёт.

— О! Как можно?! Чудесная, неповторимая женщина в горисполкоме...

Я плачу деньги, запятая, наличные. Вам только нужно выписать счёт. Она не хочет. О-о! Она не выпишет. О-о! Ну, как же так можно, запятая, дитя моё, запятая, моя божественная, не просто, а через два «Н», божественная, моя прелесть не выписывает мне счёт.

Ему выписали...

Мы играли.

Но настали другие времена.

Он эмигрировал и пропал.

Как нам его не хватает.

Он знал, где два «Н», где три «Е».

## УМЕНИЕ ПРОДАТЬ

Коммунизм был детским миром.

Начиная от идеи, заканчивая отношениями.

Рассчитываясь деньгами друг с другом, мы сразу стали одинокими, потными, пошлыми.

Стеснёнными обстоятельствами и совестью, мы привыкли рассчитываться дружбой, талантом, взаимностью.

Ты — мне, я — тебе.

Мы дорожили хорошими людьми.

Мы, извините, были откровенны друг с другом.

Ничто не приходится так скрывать, как деньги.

Их наличие или отсутствие порождает враждебность и недоверие...

Почему они у него есть или почему их у него нет?

Что за этим?

Необходимость скрывать деньги разрушила дружбу.

И дружба кончилась.

Разные люди перестали встречаться.

Собираются одинаковые, результативные, амбициозные, жестокие и лживые.

Как ты поймёшь человека, которого не понимаешь?

Ты за деньги дружишь с психотерапевтом.

С красивой женщиной разрушаешь себя, ибо её настоящие проблемы деньгами не решаются.

Может быть, временем.

И, может быть, только временем.

Это любовь, успех, мастерство, признание, уважение и всякая чушь такого рода.

Мальчики! Как всё равно, на какой машине стоять в пробках...

Как всё равно, от чего не спать по ночам...

Как всё равно, сколько комнат окружают твою кровать ночью.

Как всё равно, сколько человек звать на помощь.

Так всё равно, на скольких машинах ты поедешь в больницу.

И за каким рулём уснёт твой водитель.

Тебе всё равно, если тебе некому сказать, что тебе некому сказать.

А если некому, значит — нечего.

И при всём, что у тебя есть, никого нет в твоём доме несчастнее.

Все остальные на окладах и свободны...

Жену и детей тащишь из тупика в тупик...

И окружаешь одинаковыми, похожими на тебя, под прежним названием «друзья».

Это уже не друзья.

Хотя ты стараешься.

Семейные проблемы не решаются.

Они отодвигаются, передвигаются.

Выходят из тени, уходят в тень.

Ездим без проблем, но дышим с проблемами.

Время снимет одну и добавит две...

Пока кто-то не крикнет: «Лекарство изобрели!»

Что могут изобрести, если у тебя накапливается.

А когда это связано с деньгами, нет ни одного поступка, о котором бы ты не пожалел.

За деньги — это не лечение.

За деньги — это без любви.

За деньги — это временно.

За деньги — это плотски.

Ничего нет постояннее платонической любви.

Но!.. Но!.. Но!.. Да! Да! Да!

Но за деньги никто не дремлет.

За деньги все вокруг пишут.

За деньги всё вокруг строится.

За деньги всё выходит на экран: отбить затраты.

Никто ничего не кладёт на полку.

За деньги — нет неудач.

За деньги — нет бездарных.

Просто надо уметь продать.

Куча ненужных подарков передаётся по кругу.

Куча спортивных автомобилей на дороге.

Если ты потратил деньги на абонемент в спортзале, ты будешь ходить как проклятый и станешь здоровым.

Купил машину для выдавливания сока из камня — будешь его пить.

Потому что ты уже не продашь.

Это тебе умеют продать, а ты только умеешь купить.

Тебе только остаётся этим пользоваться...

И ты поневоле живёшь дольше, тоскливый и недовольный.

Общий результат торговли вокруг твоего тела положительный.

Общий результат этой же торговли вокруг твоей души — отрицательный.

Отсюда большое количество долгоживущих тупых, что и даёт такой высокий рейтинг ТВ, где много молодых раздетых женщин — «тьфу ты, бесстыжие!».

Не выключай!

Вот он — девичья гроза.

Истребитель невинности.

Снайпер-престижитатор.

Его проход — и просека в лесу.

Мамы, прячьте выпускниц! Илюша вышел!

А даже если погулять.

Он же разницы не чувствует.

И бесплатно, и за деньги.

И трудоустройством, и театральным миром.

И гуманитарным, и техническим.

Он не брезгует ничем.

Спроси его, чем отличается выпускница-финансист от выпускницы-педагога.

Ответ — ничем.

— А выпускница журфака от таможенницы молодой?

— Эта форма мало кому идёт.

— И журналистка не всегда...

— Что?..

Не говорит.

Но он их делает постарше, взрослит их — взрослит неутомимо и деловито.

Тем, кто идёт за ним, достаются горьковатые на вкус, кисловатые на вид, но самостоятельные, мыслящие существа.

— Чем отличается певица от балерины? Милиционерша от гимнастки?

— Ничем, — говорит он.

Веками человечество вырабатывало правила:
Стиль — не быть похожим.
Вкус — не позволить ничего лишнего.
Мода — наоборот — будь похожим.
Конкуренция — наоборот — будь как все.
Поступки по закону.
Еда по поставкам.
Книги по потребностям.
И всё становится одинаковым.

Зло всегда представляется непонятым добром.

Талант и ум — очень редкое сочетание.
Хотя, казалось бы, у писателей должно встречаться.

Я всё делал правильно.
Я иду своей дорогой.
Конечно, это тропинка.
Но я её прокладывал сам.

Он был настолько реакционен, что уже приближался к революционерам с другой стороны.

Я всегда просыпаюсь в одиннадцать, хотя встаю в шесть, семь, восемь.

Организм не обманешь.

# ЧТО ТАКОЕ ТВ

Группа людей ждёт лифта на 12-м этаже ЦТ.

Открылись двери.

Они озабоченно вошли.

Двери закрылись и тут же открылись — видимо, перегруз.

Они озабоченно вышли и, непрерывно разговаривая, пошли по этому же этажу так же деловито.

Какая работа — такой результат.

Шесть передач записывается сразу.

Новый год снимается летом.

Зритель держит хохот, пока не отъедет камера.

Осталось несколько человек в стране, которые могут связать хохот с какой-то причиной.

Остальные телезрители считают, что эта жалкая шутка и вызвала такой гомерический хохот, записанный 7 декабря 1978 года в цирке на Цветном бульваре.

Я люблю смотреть на юмориста без звука.
Слушать — уже труд.

Сидят четверо мужчин и на спор кричат:
— Ира!
— Люда!
Чья жена раньше прибежит по секундомеру.
Прибежала моя, пока я ещё не был женат.

У президента алиби.
— В ту ночь я был со своим народом.
И народ подтвердит.

# ПОПРАВЛЯЙТЕ МЕНЯ

Если я неправильно говорю — поправьте меня.
Не оставляйте меня одного с моими словами.
Например, сегодня.
Я тут такое говорил...
А редактор был?
Он бы меня остановил.
Почему его не пригласили?
Остальные ничего не понимают.
А что зритель?..
Они рады, когда на их глазах в петлю лезут.
Тут много таких, а почему шефа не было?..

Он ушёл и не остановил меня?.. Как?.. Надо было крикнуть:

— Стой, мерзавец, мать твою... Стой, гангрена проклятая... Стой, несчастье голодраное... Куда прёшься?.. Тпру! Бешеная...

Я б остановился.

Я б юзом пошёл, но стоп дал бы.

Сейчас я этому своему работнику:

— Алло! Ты слушал, что я тут нёс? Почему ты, мой друг и предатель, меня не остановил? Ты кровь любишь на подиуме?! А когда я про Совбез, про Сочи. Пятнадцать минут меня било об камни, при регламенте — пять.

Мы вообще договаривались не больше двух... И ты бы на мобильный мне...

Я не знаю, сколько несёт меня...

Дай вибрацию в карман.

Останови товарища — мы его теряем.

А как я влез в эту реформу — судебная реформа не помешала войне, а война помешала судебной реформе.

Ну как я туда влез?

Какое моё собачье дело?

Никто не хочет бороться с коррупцией, и я не хочу.

Я хочу жить со всеми!

Не давайте мне бороться с коррупцией.

А про гаишников со взятками чего вдруг?..

Более доброжелательных людей я вообще не знаю...

Чего я влез?

Я, что ли, хочу, чтоб по правилам?

Никто не хочет, и я не хочу.

Это мы, когда выступаем...

Но и тогда не хотим.

Мы выступать хотим...

Ну, все же понимают.

А врачи — как лечат, так лечат.

Как болеют, так болеют — все свыклись.

Кто хочет, тот умирает.

Кому надо, тот болеет.

Врач спросил — чем тебя лечить?

Ты ответил.

Он тебя этим и лечит.

Он же тебя спросил.

Никто не хочет по правилам.

Я, что ли, хочу?..

Я хочу выступать, но жить здесь...

Я уже себе кричал:

— Что ты выступаешь? Что ты выступаешь?

Но выступаю...

И надо останавливать, если понравилось...

Чтоб ещё чего-нибудь где-нибудь...

Когда-нибудь опять будем ловить наверху то ли ветер, то ли дыхание.

И первый поймавший — опять самый успешный.

Останавливайте меня.

Вы не возражаете против тех возражений, которые я здесь утверждал?

Значит, все возражения утверждены?

И даже то, что я возразил в утверждение всего, ранее мною возражаемого?

Всё! Линия ясна. Ветер пойман.

Каждый любит, чтобы ему приказали.

В каждой крупной личности есть что-то мелким шрифтом.

У нас в России не говорят: «Это запрещено законом».

У нас говорят: «Это опасно».

Стареть не страшно.

Просто надо следить за первой цифрой возраста.

Ко мне не надо присматриваться.

Ко мне надо прислушиваться.

— Дядя Миша, вы ещё растёте или уже стареете?

Артист-перелётчик.

В день два вечера.

Два завтрака.

Два раза по восемь утра.

Вылетел в семь, прилетел в семь.

Все ужинают, ты завтракаешь...

Ты сел рассказывать, а все пошли спать.

Ты забыл, что ты хотел рассказать и кому.

Ты вскочил — надо позвонить в Москву.

Здесь день, там ночь.

Ты звонишь.

Там тоже день — ты уже в Москве...

Ты на сцене, почему не смеются?..

Да потому что ночь у тебя внутри, а у них вечер праздничный.

Ты приехал.

Но им не смешно.

Потому что ночь у тебя внутри.

Кого ты хочешь смешить своей ночью?!

Хоть бы утром собрались, но твоим утром.

А кушаешь ты ночью, когда вокруг спят, и ты разогреваешь в горячей гостиничной воде.

И ты их веселишь ночами, а когда, наконец, сравниваются ужины — у них уже одиннадцать, кухня закрыта.

Всё, что ты не съел, они выбрасывают на свалку.

Ты у них не живёшь.

Только в самолёте ты соединяешься с едой.

От очередного разогретого лосося тебе дурно.
На трёх языках — «что угодно, только не лосось».
Вот кому начистить рожу при встрече!
Как они попадают в самолёт?
Из такой глубины.
Шпинат с лососью — его жена — даже внешне ничего хуже не бывает.
Перелёт и разница во времени ценою в жизнь.
Там лето. Тут зима.
А ты — как муха между рамами.
Похудевшая летняя муха.
Летняя муха, зимой в России не жравшая лосося, позавтракала коржом к стакану чая.
Чтоб силы поддержать, из блюдца виски попила.
И по Эйнштейну в самолёте туда-сюда.
А самолёт — в Россию.
Чтоб мухи траекторию понять — мехмат закончить.
Летим поужинать в Россию, чтоб спать, когда не хочешь, и встать, когда захочешь спать.
Без просыпу поел, поспал.
И ночью вдруг пошёл смешить.
Так точно, ярко, наизусть, глаза горят — а никого, все спят.
Опять не вовремя...
Давай, папашка, тишину.
Ложись, отец.
Не путай разницу во времени и разницу в мозгах.
Здесь это не смешно, во-первых.
А во-вторых, вчерашний день.
Ложись, отец.

Ты так уже пошутил вчера.
Здесь тоже двадцать первое, четверг.
Но у тебя уже второй четверг...
Второй четверг после четвергового концерта.
Не надо.
Не работай.
Спи...
Я потушу...
Да. Одежду можешь снять.
Ты прилетел.

Я двор предупредил.
На идущих ко мне — не смотреть.
Глазами не провожать.
Отзываться доброжелательно и лаконично.
Отзывы исключают внешность.

## ДЖАЗ

Диета, ритм, пробежка, рюмка, танго... Особенно.
Это всего лишь я. Простите.
Здесь резко... Ах, это ваша?..
Там, сзади, далеко. Где белый туфель.
О! И сразу за ней моя.
Мой чёрный туфель... Ах... Ри-ри-ри...
Поёт, поёт на италь...
Чуть вправо... Раз... О! Они поменяли музыку...
Покоримся... Нежно... Медленно...
Воздух-вдох, и опадаю на вас.
Теряю вас и нахожу...
Те... ря... ю... вас и на-хо-жу.
Голубое... Синее... Это небо?
Это платье... А белое на нём?
Как облако... Моё.
Рукав из облака на вас.
Здесь хорошо... Как раньше...
Как раньше... Здесь музыка...
Фонтан... Трамвай... И вы...
Я захожу... Я справа, слева.
Прямо перед вами. Ах! Вы прижались... Спокойно.
Только без волнений... Нежно...
Нежно, медленно и... Ах! Они сменили музыку.
Стук и гром... Дерево и жесть... сюда... сюда...

И резко... резко...
И жарко, жарко по-венгерски...
Лалешти лежемен... Вы устали...
А я... всё по-венгерски...
Ка... кас... касаюсь вас...
Касаюсь и теряю... Вале-калею...
Прижимаю — не сплющилась.
Сула-юла-ю... О! Молодость!
О! По-венгерски...
Сакс червем вьётся... Змеёй вперёд...
Веду! Вода внизу.
Черно... Фонарь... Асфальт...
Обрыв... И смеха золотая канитель...
Черно... Тепло...
Что это — человек?.. Он тополь...
Звёзды... А-а-а... Диета...
Возраст... Вы сошли... А я слетел...
Спокойно... Я спокоен...
Да ради красного словца...
Сказано удачно... Всё отдам.
Из света вышли... в темноту...
Да, я тот самый...
Разрывы в музыке всё шире...
Как паузы в моих словах...
Темно... Я вновь свалился...
Вы сошли... Я поднимаюсь...
Меня не так легко...
Не так легко... Я поднимусь...
Нет... Кое-какая помощь мне нужна...
А где вы?.. Где вы?..

Здесь темно... А спичек у вас нет?.. Вы наверху...

Вы наверху... Вы возвращаетесь...

Вы пришлёте... Не беспокойтесь...

Я полежу... Я поразмыслю...

Пробежка, ритм, диета, рюмка, танго и дама кончилась...

Да... наше сиятельство устало...

Она любила официанта.

Она его обнимала, целовала, а он всё стряхивал и смахивал со стола.

Даже когда она его поворачивала лицом к себе.

Самое неприятное в человеке — улыбка вопреки желанию.

Это приобретается к концу жизни и говорит о нём больше, чем он хочет.

Если никто не заметил вашего отсутствия, то никто не заметит вашего присутствия.

Коллективное руководство комсомолом выработало во мне самостоятельное мышление.

Огромный бюрократический аппарат требует совсем другого.

Он требует работы двигателя, никак не связанного с внешней жизнью.

Валы вращаются, а шестерни стоят.

Я думаю о тебе, девушка, воспитание, образование — всё это искусственное и поверхностное...

В принципе, ты глупа.

Так что сердцевина у тебя здоровая.

Пару моих уроков — и ты оживёшь.

Когда я слышу слова «общеизвестно» и «очевидно», мне становится ясно, что у них нет доказательств.

## МОЗГОВ НЕТ

— Алло, Константин, ты сейчас набери Наташу.

— Как набрать, я же с вами разговариваю?

— Ну вот, как я положу трубку, ты набери её.

— Ага, ну вот. А вы потом на меня кричите, мол, я вас не понимаю. Это вы меня не понимаете. Как я могу её набрать, если телефон занят вами?

— Всё! Ты прав. Всё!

— Да... Всё... Я всегда у вас виноват. Мозгов нет. Так что скажите сами: есть мозги у меня?

— Есть.

— Вот и всё! Так что вы сказали?

— Вот ты сейчас со мной говоришь, и твоя трубка занята. Так?..

— Так.

— И моя трубка занята. Так?..

— Так.

— Вот следи, вот я сейчас разговор прекращаю... Ты продолжай... А я прекращаю. Та-ак?..

— Так.

— Трубку кладу...

— Так... Так...

— Отключаюсь?..

— Та-ак... Так...

— И ты можешь набрать телефон кого угодно. Так?..

— Так.

— И ты набираешь кого?

— Как кого? Кого? Наташу.

— Точно. Умница. Давай. Кладу!

— И что я ей говорю? Эй! Алло... Алло... Алло! Мозгов нет, мозгов нет... Что я ей говорю?.. Алло, Наташа, звонил Михалыч, велел вас набрать... Я набрал, а для чего, он не сказал. Вы ему скажите, что я вас набрал, как он просил. А дальше скажите — не знаю, как он предполагал. А то эта свистопляска никогда не закончится... Значит, набирайте его — скажите, я вас набрал. Пусть наберёт меня. Да... вот что... Значит, так: как только я отключусь, набирайте его... Только не сейчас. Как я отключусь. И пусть наберёт меня. Вот. Вот сейчас... Вот-вот, и пусть тут же наберёт меня... Алло! Нет... Это не он... Это ещё я... Кладём... Кладём... Оба. Алло!.. Не он. Кладём... Алло! Есть... Звоню... Алло, с кем говорю?.. Михалыч, когда мы с вами поговорим, вам позвонит Наташа... Но только когда мы с вами поговорим.

— Как она узнает, что мы поговорили?

— А я ей отзвоню... Вот кладите трубку прямо сейчас. Я ей позвоню. Скажу, что мы разговор закончили. Пусть наберёт вас... Алло... Наташа, набирайте Михалыча... Я кладу трубку. Алло, Михалыч! Ну что? Звонила Наташа? Нет ещё... Кладём оба?.. Алло... Ну что?.. Нет ещё... Кладём оба?.. Я звоню. Алло, Наташа, что он вам сказал?.. Так у кого мозгов нет... У Михалыча... Да я ему уже сказал, и он согласился. Он уже знает, не переживайте. Значит, кладём, и вы звоните... Только насчёт мозгов больше не говорите... Он будет переживать. Это между нами... Всё, кладём... Оба. Алло! Наташа?.. Алло!.. Михалыч?.. Занято. Значит, оба говорят. Есть мозги, есть, тут главное — не обижаться.

Самое смешное, что я слышал в деревне:
— Я пить не хочу. Я прошу воды.

Чувствовать себя мужчиной очень накладно.

А вот когда в вас чувствуют мужчину — это уже расходы не ваши.

Важно не так чувствовать себя мужчиной, как вообще чувствовать себя хорошо.

В рай хорошо приезжать.

А когда живёшь там, вечно околачиваешься в приёмных и кипишь, как в аду.

Почему среди незнакомых так много красивых женщин?

Современный американский роман благодаря переводу так переполнен русским матом, зоной и блатным жаргоном, что непостижимо, почему мы не понимаем друг друга столько десятков лет.

С любимыми не расставайтесь.

Правильно, ибо с нелюбимыми расстаться невозможно.

Они появляются и мучают ночными стуками, письмами под дверь и звонками с разных телефонов.

От нелюбимого можно только уехать.

Порядки сегодня такие, что ничего тут не попишешь.

А попишешь — не произнесёшь.

А произнесёшь — сразу в одиночестве.

Коллектив не выдерживает.

## ЗАПИСКА

Мой муж вас любил, но вы появляетесь по ТВ или редко, или поздно.

Он меня научил вас любить и исчез.

А любовь к вам осталась.

# СССР

Люди живут в очереди за бананами.

Знакомятся.

Женятся.

Разводятся.

Старушка с палкой:

— Мне для больного...

Самые добрые впереди.

Самые злые в хвосте.

Оттуда прибегают.

Убивают и убегают обратно в хвост.

Перемеривают, перевешивают.

От начала к концу растёт ненависть.

Вот она.

Бананов мало.

Людей много.

Старушка с палкой:

— Мне для больного.

Передние готовы, задние пошли кричать из-за бананов:

— Какая она старуха! Ей тридцать пять, просто так выглядит, сволочь. Какой больной, тут здорового от этих бананов скрутило, а больной вообще концы отдаст. Вот у нас тут врач стоит второй час — ну правда, доктор?

— Да, есть противопоказания...

— Не смейте ей отпускать!

Почему у нас так любят малосольные огурчики, солёные помидорчики, кислые щи?

Потому что пропаганда невыносимая.

Не могу вспомнить, хоть обыщи.

Обыскали — и он вспомнил.

Плохие новости всегда верные.

— Какая разница между еврейским и английским юмором?

— Англичане острят на своей земле.

Муж в день рождения жены разбросал по подушке цветы вокруг её головы.

Они месяц не разговаривали.

Война — это то массовое зрелище, которое объединяет элиту и народ.

Это то, чего массы втайне жаждут.

Забыть свою жизнь.

Стать свободным.

Вооружённым.

Полупьяным.

Одетым, как все.

Сытым, как все.

Убивать, как все.

И умереть, как все.

Пока наша главная задача жить не лучше, а дольше.

Хотя бы...

Потом о «лучше» поговорим.

Я бы сказал — загажена, но не тронута. Это наша земля.

Чтоб прийти в себя, я чуть выпил.

Но опять переборщил...

Надпись в Одессе на дверях туалета: «Воды в туалете нет, так что имейте в виду».

Как иметь это в виду, не сказано.

— Как ваши дела, Михал Михалыч?

— Со стороны кажется — хорошо, но я там не бываю.

# АНДРЕЮ МАКСИМОВУ ОТ М. ЖВАНЕЦКОГО

Есть области, где авторы умнее своих произведений.

Это политика.

Это песни.

Это балет.

Кому везёт, тот в работе на сто процентов использует свои мозги.

Это наука.

Это конструирование.

Это писательство.

Когда обращается к людям, он глупеет.

Он хочет, чтобы его поняли.

Он хочет, чтобы его запомнили.

Он хочет, чтоб его полюбили.

Он хочет, чтоб его купили.

И глупеет от этих простых желаний.

И постепенно от того, что хочет сказать, переходит к тому, что хотят услышать.

Закон популярности — «Все знали, он сказал!».

Это приводит в восторг.

Но — все знали, а он сказал, значит: он сказал и все забыли, потому что знали.

Затем уже все знают: он скажет то, что все знают.

Заканчивается тем, что никто не знает, что он сказал, но все знают его, который сказал то, что знали все.

Его куда-то выбирают и забывают окончательно.

А тот, кто говорит то, чего не знает никто, — живёт хуже.

Потом, когда с его помощью начнут догадываться близкие, а потом с их помощью станут догадываться остальные, его имя запомнят и не забудут.

Но это достанется не ему, а его имени.

Вот он и есть движение.

А тот, кого знают все, — неподвижная радость.

Какой редкий дар — открывать это всё в простой беседе за круглым столом с моим другом Андреем Максимовым.

Сегодня слова «...на вашем канале была замечательная передача» — уже напоминают донос.

Если ещё пару месяцев не объяснять, что такое инновации, люди потребуют повышения зарплаты.

Типичный женский звонок:

— Забери меня отсюда!

— А ты где?

Положила трубку.

Я всегда пишу о хороших людях.

Я их держу в уме.

Мужчины живут коротко, потому что они не плачут.

Народ, живущий в России, заслуживает Нобелевской премии.

Лучшая компания: из знакомых мужчин и незнакомых женщин.

Граждане! Используйте меня только по призванию.

— Как дела в России?
— Воруют и ждут.

До первых рядов доносится хорошо, доходит плохо.

Фиктивный брак гораздо честнее, так как настоящий гораздо фиктивнее.

— Как вас зовут?

— Только для вас — Сара Абрамовна. А для всех — Софья Аркадьевна.

Семью держат либо любовь, либо задача.

# СТАРОСТЬ И МОЛОДОСТЬ

Конечно, каждому неохота быть старым среди молодых.

Но жизни размещены в беспорядке, чтобы не кончились сразу.

Тут покойник, и тут же новорождённый.

И пять, и семьдесят.

Растут и падают.

Диапазоны разные при равномерном неравенстве возраста.

Жизнь начинается с памперсов, обрастает гипсом, повязками, капельницами, очками, костылями, колясками, слуховыми аппаратами.

Памперс, соска, костыль, рецепт.

Среди жизни равномерно разбросана старость.

Ни лучше, ни хуже.

Они наслаждаются мастерством, сном и особой близостью к смерти.

Молодые рвутся туда, где ещё не побывали, то есть в старость.

Все мечтают быть на месте другого.

Нет даже тех, кого мы не любили.

Наталкиваясь на невнимание и усталость в моём лице, не обижайтесь.

Может быть, не всё так плохо.

Вот он молчит, а прав.

И таких людей миллионы.

Если мать выходит второй раз замуж — ребёнок теряет не только отца, но и мать.

Так и эмиграция.

При хорошей жизни — много мусора.

В СССР с одним ведром в день выбегали, и хватало.

А на тех, кто много выбрасывал, соседи писали.

Пустые банки нюхали.

Очень просто было и определить хорошую жизнь.

К сожалению, счастье беременно бедой.

Стой прямо и смотри прямо.

И иди прямо.

Не мотайся по жизни.

Туда добежал — там уже десять человек.

Сюда вернулся — здесь уже пятнадцать.

Поэтому стой прямо и смотри прямо.

Шестое ноября. 13.15... Суббота. Чикаго.

На улице битком.

Народ красивый. Молодёжь.

Не видел столько красивых.

Две девушки в чёрном.

Лет девятнадцати.

Вдруг обратили на меня внимание.

Я ускорился и забыл.

Вдруг квартала через три догоняют.

Представляете — меня!!!

— Мы вас так любим. Моя мама мечтает с вами сфотографироваться.

— А где мама?

— А вот она.

— Это я, — говорит одна из двух, точно такая же, как первая.

— Мы знаем вас наизусть.

Дома я посмотрел в зеркало, попробовал наизусть запомнить.

Я и их забыл...

Помню что-то очень красивое и молодое...

# АССОЦИАЦИИ

Я бы всё население России — на медкомиссию во главе со мной.

Кто-то сказал:

— Сажать...

У всех ассоциации: всё, кроме сада...

Бормотнул:

— Берут и будут брать...

Ассоциации: с КГБ, мэрией, тюрьмой, коррупцией и женщинами...

— А вы не давайте...

Тут же: с женщинами, школой, анализами крови и дыханием в трубку.

Со словом «стадо» — что угодно: толпа, демонстрация, туристы, абитуриенты... Все, кроме коров...

Так же и тёлки.

Девицы, путаны, спортсменки, прыгающие через барьер, только не коровьи дети.

Вот такой народ в России поселился между революциями...

Между строк читают, между кадрами видят, между словами чувствуют.

## В МЕТРО

Женщина зацепилась за мой портфель авоськой.

Не расцепишь, народу много.

— А вы где живёте?

— В Черёмушках.

— Я тоже. Поехали, по дороге расцепим.

Приехали ко мне.

Поставил вино.

Стали разъединять.

Жалко рвать.

— Вас дома ждут?

— Не думаю.

— А я вообще один.

— Вижу.

— Я так думаю, поживите у меня. Расцепим как-нибудь.

Кошёлки мы расцепили.

Кусочки красной нитки так и остались.

Встречаемся.

Выковыриваем.

Целуемся.

У него популярная жизнь:

а) приглашают на обед и ждут, что он не будет обедать, а будет говорить. Поэтому его аппетит вызывает большое разочарование.

б) Он что-то соберётся сказать по поводу тефтелей в соусе, все кричат:

— Внимание, он начинает...

И опять испытывают большое разочарование.

в) У любимой женщины не может дождаться, когда все уйдут...

А они сидят и смотрят...

А когда он у неё спрашивает, почему никто не уходит, — испытывает большое разочарование.

В результате его приучают пить и есть за свой счёт.

Покупать билеты, чтоб посмотреть?

Он не стоит того.

Многие едят гораздо аккуратнее.

## ЕМУ

Господи!
Ты знаешь, сколько мне.
Оставь мне это состояние.
Оставь свою руку на мне.
Я твой весь.
Я ещё не был так счастлив.
Я понял.
И я понят.
Ничем не заслужил.
Просто и вдруг слова складываются во мне.
Мысли выстраиваются в очередь.
Они уже сформулированы.
Это уже не я.
Я это понимаю.
Ты дал силу прорвать свою и чужую оболочку.
Ты соединил меня со всеми.
Всё, что говорю я, — твоё!
Всё, что говорят мне, — твоё!
Мне не больно с этим расстаться: твоё оно.
Пусть потеряет автора.
Я не цитирую.
Я не вспоминаю.
Я знаю.
Лучшая награда — потерять авторство.
Не снимай руку с меня.

Патриот не выдерживает долгой любви.

Он какое-то время говорит: «Мы, мы, мы».

И обязательно вдруг: «А вот вы...»

И пошло то, из чего он состоит.

Бездарный затихает на первом провале.

Талантливый идёт дальше.

У талантливого куча провалов, у бездарного — один.

Сколько с возрастом необходимо сообразительности, чтоб заменить рывок, силу, скорость, страсть.

Оцените...

Мы так любим собак, котов, потому что им всё равно, кто ты: молод, стар, образован, успешен.

Тот редкий случай, когда для кого-то ты просто человек.

Смерть — это наша обязанность перед людьми.

Без мозгов — или неумело, или назло.

Все средства хороши для достижения цели.
Раньше цель была, средств не было.
Потом средства были, цели не было.
Сейчас средств нет и цели нет.
Значит, они не совмещаются.

В Москве уже речь идёт не об опоздании, а о том, чтобы вообще прийти.

Начальник сказал: «Я перезвоню».

Что делает нормальный человек?

Он ждёт... Ждёт... Ждёт...

И понимает.

Но ждёт, ждёт...

Он думает, что тот просто не может.

И он ждёт, ждёт...

Ведь тот обещал.

Тот ведь кем работает! Тот же не может просто так врать или забыть.

Очевидно, он записал.

Очевидно, он понимает, что его слово значит больше, чем слово просто знакомого, который, кстати, перезвонил.

Всё-таки туда люди как-то отбираются.

Хотя бы по характеру.

Пустомелю всё-таки держать не будут...

Он же понимает, что его звонка ждут.

Это же очень важно.

Он сам так ждал.

Я уверен.

Немолодой, по голосу слышно.

Тоже ждал, переживал обязательно.

Кем бы ты ни был, ты ждал.

Ты и сейчас ждёшь.

— Мы перезвоним.

И ты ждёшь, ждёшь...

Ты же не можешь забыть.

Ты же рассчитываешь, что и кого-то она волнует.

Ну, если не твоя судьба, то хотя бы своя репутация.

Ну что-то же из этого у кого-то должно же быть?!

Мне же неудобно.

Он же обещал.

Он может обидеться, что я ему не доверяю.

Он сказал: «Перезвоню» — и положил трубку.

Чтобы обдумать, наверное, чтобы навести справки, поднять бумаги, решить и перезвонить.

Я вообще могу всё испортить своим звонком:

— Почему не звони́те?

Он подумает: «Ну, нахал! Я же ему сказал — перезвоню — какой наглец! Как он живёт на белом свете, никому не доверяя!»

Это обо мне.

Я могу всё испортить, если опять позвоню.

Нет, нет... Надо ещё подождать... В понедельник у него много дел.

Во вторник рано...

Я позвоню в среду, наверное.

Хотя я уверен...

Он перезвонит.

Я почему-то...

Мне кажется...

Я уверен.

Хотя уже четверг...

Но там такая загрузка.

Я жду, а у него таких, как я...

Это же каждому он перезванивает...

Хотя уже пятница...

Перед выходными не стоит...

В понедельник не стоит...

Во вторник, если он...

— Алло, вы обещали перезвонить...

Я звонил неделю назад...

Что напомнить?..

Да, Михаил Михайлович... Перезвоните?.. Кому?.. Когда?..

А может, я?.. Вы сами... Буду ждать...

И нормальный человек ждёт... Ждёт... Он опять ждёт...

Он ждёт снова и опять.

# ЕСЛИ ХОЧЕШЬ

Постой, говорю я.
Ты хочешь не говорить то, что хочешь?
Ты хочешь не есть то, что хочешь?
Ты хочешь не жить, с кем хочешь?
Чего ты хочешь?
Если ты хочешь того, чего хочешь.
А хочешь послушать меня, если хочешь?
Хочешь или не хочешь?
Я замолчу, если хочешь.
Ты только пойми, чего хочешь.
Все тебя ждут, если хочешь.
Все не придут, если хочешь.
Ты только скажи, чего хочешь, если хочешь, если ты хочешь.
А хочешь на море?
Пойдём, если хочешь.
А хочешь, мы выпьем вина, если хочешь?
И, если захочешь, поговорим.
И пригласим, если хочешь, двух девушек, если захочешь, и трёх, если хочешь.
Ты только скажи, чего хочешь.
Мы ждём, что ты скажешь, чего пожелаешь.
Пойдём, куда скажешь.
Скажи, если хочешь.

Недоперепил. То есть больше, чем мог, но меньше, чем хотел.

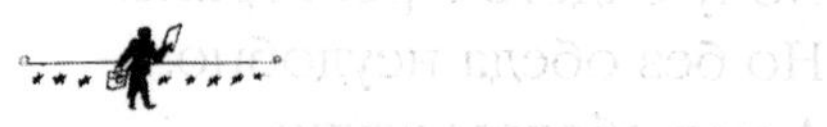

Старики себя не взрывают.

Казалось бы, старый, и диагноз плохой.

Ну и лети к девственницам.

Нет! Они это поручают более глупым.

Как долго в России возишься с пуговицами.

Приходишь — расстёгиваешь, расстёгиваешь, расстёгиваешь.

Уходишь — застёгиваешь, застёгиваешь, застёгиваешь.

Потом завязываешь и прощаешься.

И сохранить любовь нелегко в таком климате.

Челябинск. Гостиница.
Ресторан. Заказал обед.
Есть не хочу.
Хочу сидеть в ресторане.
Но без обеда неудобно.
А над обедом глупо.
Сижу возле обеда и пишу.
Хоть не один.

Клопчик. Птенчик. Козлик.
Листик. Кошечка.
Козочка.
Змея. Гадюка.
Золотце.
Моё счастье.
Мой звоночек.
Моё солнышко.
Моя радость.
Это всё они — женщины.

— Все мужчины ничтожества, — говорила она, — хотя у них есть известные достижения.

Грамм никотина убивает лошадь.
Но не коня!

Хочу приехать на Дальний Восток, на Курилы.
Сойти со страны и окунуться.

— Что ты, я воровать теперь бросил.
Песни пишу.
Тексты к словам.
Ну, про всё.
Про то, как сидел.
Про братву.
Про фраеров.
Про шпану.
Знаешь, как идёт!
И матом, феней и текстами.
Расхватывают.

Я так труслив, что я пугаюсь слов: «Какой вы смелый, Михал Михалыч!»

Есть ораторы, которым мешают внимание и тишина.

Три вида населения: созидатели, потребители и истребители созданного.

Есть великие для меня люди:
Анатолий Иванович Стреляный.
Борис Парамонов.
Чубайс.
Гайдар.
Ясин.
Пугачёва.
Прав он или неправ, но он (она) великий человек.
Поэтому прав.

Даже баран понимает, что иметь красивое тело вредно.

И женщинам нужно чаще советоваться.

Память намного короче обиды.

Уже не помнишь, а настроение испорчено.

На Колыме сидели трое.

Один был против коммунизма.

Второй был за коммунизм.

А третий просто коммунист.

Надо перевоспитываться.

Теперь надо думать, что президент плохой.

И пусть он своим поведением нас разубедит.

История моего дома на Лесной.

В советское время въехали все простые.

Быстро сделали косметический ремонт и жили тихо.

Потом настали новые времена.

У них выкупали и въезжали новые люди по одному.

Полугодовой ремонт.

Сверло, отбойный молоток, грохот, тишина.

Новый джип у подъезда.

Второй ремонт.

Мрамор, лифт, мешки с цементом, грохот отбойных молотков.

Второй новый джип у подъезда.

С грохотом, цементом, мрамором появлялись новые машины.

Деньги сменяли друг друга с грохотом и пылью.

Процесс стал непрерывным.

Меньшие деньги уступали место бóльшим.

Деньги не любят тишины.

Деньги не любят постоянства.

Их появление означает перемены.

Из старых жильцов я остался в доме один.

На мой телефонный звонок откликается чьё-то сверло, звякнешь ложкой — ответит отбойный молоток.

Они подступают.

Они выезжают и въезжают непрерывно.

Мне не за что держаться.

Сколько сейчас квадратный метр?

Женщина — это печь, в которую надо подбрасывать дрова, уголь, деньги, продукты.

Воровство в СССР.

Шоколад в форме своей груди или зада.

Мыло 30 коп. за 10 коп.

Шоколад 5 руб. за 3 руб.

Контролёр налетел на хлебозавод.

Муку воруют.

Пироги пекут.

Пироги выносят и продают.

Масло растительное грузовики в баках вывозят вместо бензина.

На чём они выезжают из ворот?

Вот голова работала у людей, когда украсть надо — за сорок лет до биотоплива на подсолнечном масле до товарной станции.

— Смотрите, как долго живут ваши произведения!

— Сделайте что-нибудь, чтоб они жили короче.

От низкого качества к высокой стоимости продукции.

Какими бесконечно длинными казались в детстве женские ноги.

В нашем возрасте мы ищем в доме эхо.
Я охнул, оно ахнуло.
Я заплакал, оно заплакало.
И никаких, извините, слов.

Дочь сказала:

— Мама, а можно я скажу, что тебе не тридцать, а двадцать пять?

А мама сказала:

— А можно я скажу, что тебе не двенадцать, а восемь?

Человек живёт не в России и Америке, а в семье и на работе.

Единственное её достижение — красота.

Единственная её профессия — любовь.

Он искал в себе отклик на эти её достижения и, не найдя, с сожалением удалился.

Я бюрократ.

Моя работа — чинить и расставлять препятствия.

Ну, хорошо, в СССР очередь за книгами свидетельствовала о повышенном интересе.

А очередь за мясом?

— Видишь, опять я должна решать...

— Решай, решай. А из твоих решений я выберу то, что нам подходит.

Из-за соседнего стола:

— Водочку вашу можно на минуточку?

В драке участвовал весь ресторан.

В чём разница между мужчиной и женщиной в жизни, в музыке?

Вы танцуете, чтобы быть к ней ближе.

А она танцует, чтобы танцевать.

Так вы и будете ухаживать, пока не разберётесь.

Вначале совпадут желания, а потом и движения.

Одесса:

— Ваш самолёт очень большой. Не можем принять.

— Как? Обыкновенный «Ту-154».

— Очень большой. Мы смотрели с земли. Не можем принять. Такой большой самолёт.

# ИСКАТЕЛИ СЧАСТЬЯ

Нам не нужно в поисках счастья куда-то ехать.

Мы его ищем возле себя.

Не находим счастье, и не надо.

Так хоть дома сидим.

А то уехать и ничего не найти — большое разочарование, люди говорили.

Изумительный закон живой природы — сколько ни найдёшь грибов, всегда есть ещё один.

Так же и абрикос.

В нашей жизни смешного много.

Весёлого мало.

Мужики, повезло, женщины стали бояться красавцев!

Патриот — счастливый человек.

Ни разу не разочаровывался в себе.

Только в других.

Когда я шёл после пробежки потный, грязный, лохматый — навстречу огромная собака и тётка в шубе.

Такая накрашенная и золотая.

Собака бросилась на меня, и тётка ей сказала: «Фу!» — и с таким выражением лица, что собака с отвращением отвернулась, а я с отвращением побрёл домой.

Выпьем за здоровье, потому что за остальное пить поздно.

# САЛФЕТКИ

— Почему так мало салфеток на столе, официант? — к несчастью спросил я.

— Ха-ха, — тут же включился он. — Дай тут — начинают затыкать во все дыры.

Расстилают на столе.

На грудь вешают, под пальто засовывают.

За ворот, за пояс тычут.

Один в ухо заткнул.

Один съел две салфетки.

Один кусок мяса обернул и давай в соус макать.

Не знают, куда девать.

В туфли вместо стелек.

Один вообще обернулся салфетками и так и ушёл.

Ух, народ ушлый!

Дай им сколько угодно.

А в туалете стелют на унитаз — и ногами.

Пюре в салфетку — и в карман.

Не-не.

Не готов ещё народ к сервису.

Одну на нос.

Остальное под расчёт.

Выгоднее всего для промышленности работать на войну.

Проверяется только на поле битвы.

Того, кто недоволен качеством, уже нет в живых.

Наша ментальность: сначала жениться, потом выбирать.

Жизнь интересная.

Но какая-то чрезвычайная.

Надпись на могиле:

«Курить вредно.

Пить вредно,

Любить — страшно.

Умирать здоровым — глупо».

## КАК ЖИТЬ?!

Мы ненавидим миллионеров.

А кто играет для нас в футбол?

Кто играет для нас в хоккей?

Кто нам на радость бьёт друг другу морды?

Кто нам пишет детективы?

Кто в кино для нас играет нищих и голодных?

Всё это они — миллионеры.

Кто изобретает нам лекарства и создаёт новое оружие?

Чьи автоматы в руках всего мира?

Кто создал богатства страны?

Тот, кто пришёл к богатству сам!

Успешный человек бедным не бывает.

Талантливые мышцы и талантливые мозги становятся богатыми автоматически.

Если не прилагают усилий, чтоб остаться бедными по каким-то своим соображениям.

Задача одна — не меняться от лишних денег.

Вытащил себя — тащи другого.

Между вопросом «как жить?» и ответом «так жить» — большое расстояние.

Ответить кто-то может.

Но продемонстрировать, как это сделать, — нет.

# ИЕРУСАЛИМ

Центр. Ночь.

Девочки в чёрных длинных юбках и грубых ботинках.

Толпа молодёжи.

Конец шаббата.

Такое родное.

Такая общность.

Кто за столами.

Кто между столами.

Такая толпа была в Одессе на Дерибасовской, или в Сочи, или в Ялте.

В шестидесятые годы, когда тоже было опасно, и ты также мог пострадать из-за происхождения, и все тянулись друг к другу.

Ты здесь, и я здесь, и мы отстоим себя.

А здесь Восток.

Здесь какие-то такие евреи.

Свитер чёрный, шляпа чёрная, глаза тёмные.

Как траур в Грузии...

Огоньки звёзд переходят в огоньки в горах.

Взрывы хохота, музыки и, простите меня, — тепло.

Всегда тепло от климата, от людей, от полиции, от танцующих девочек в солдатской форме, от гула разговоров.

Такие разговоры могут вести только евреи и русские.

Бесконечные, уходящие ввысь.

Сколько страданий впереди?

Когда наладится?

И почему так дорого?

Одесса. Телеграмма: «Я задерживаюсь, но выеду вовремя».

Один учёный стал гонять спортсмена и рядом с ним крысу.

Узнал результат и запил.

Второй копал что-то.

Откопал и запил.

Третий беседовал с долгожителями, изучал их пищу, миграцию, женщин.

Ушёл с ними и запил.

Оказалось, учёные и живут меньше, и бегают медленнее, и пьют гораздо больше...

Вот что они узнали.

Деградирует наука.

Иногда хочется больших денег.

Немного, но больших.

Всё-таки «нужно иметь» — это одно, а «жалко терять» — совсем другое.

Я всю жизнь жил в государстве, в котором произношение буквы «Р» считается признаком лояльности.

Самое страшное для меня время — от четырёх до шести утра, когда я знаю себе цену.

## У МЕНЯ В ОДЕССЕ, ВО ДВОРЕ. МАЛЕНЬКАЯ ДЕВОЧКА СЕМИ ЛЕТ И СОСЕДКА

— Ты такая маленькая. Ты почему нагрубила?

— А идите вы, тётя Роза. Кому я нагрубила — вам? Ничего вам не будет.

— Как же мне ничего не будет? У меня давление поднялось.

— Не мерайте его. Не надо мерать.

— Как же я могу не мерать? Меня как разобьёт паралич!

— Ничего. Тише будет во дворе.

## ЖЕНА

Она идёт впереди.
Её все боятся.
Она говорит:
— Не делайте этого.
Этот клей не выдержит.
Здесь плохо стригут.
Вы напрасно это сделали.
Вы здесь пропадёте.
Америка не для вас.
Вас там не вылечат.
Немедленно не переезжайте.
Машина ничего.
Но вы разоритесь на ремонте.
Уберите ребёнка, ему этого нельзя.
Сзади идёт её муж:
— Не обращайте внимания.
Я так живу уже тридцать лет.

# А. Б. П.

С Аллой меня связывает что-то давнее.

Мы любим друг друга.

Хотя ни разу не любили.

Наша страна делится на два лагеря: огромный (вся страна) — это те, кто любит Аллу Борисовну, и крохотный — это те, кого она любит.

Я соскучился по женскому правлению.

Я ездил к ней агитировать её в начале 90-х — выставить себя в президенты.

— Говори, говори, я слушаю!

Во время путча она была в Одессе, и за нами ходила толпа.

Она лучше, чем певица.

Лучше, чем женщина.

И больше, чем личность.

Попасть под её презрительный взгляд — потерять половину веса и физически, и морально.

Она плохо знает фамилии начальников.

Ей не подходит «гений и человек».

Как говорил мне один олигарх: «Она — большая сила».

Когда-то я сказал сыну: «Имей совесть и делай, что хочешь».

Она такая...

Делает что хочет и не ошибается.

Мужья поют.

Мужья рядом.

Не уходят мужья.

Держатся рядом.

Без обид.

Без лишнего достоинства.

Она передвигается в окружении.

Увидите идущую толпу — внутри Алла Пугачёва.

У меня очень мало таких друзей, на которых можно рассчитывать.

На неё можно рассчитывать.

Смешно вообще говорить о каких-то изъянах.

Достаточно представить нашу жизнь без неё, чтоб сразу успокоиться или удавиться.

Все эпизоды я описал в «Письмах моему отцу».

Ничего для меня нет приятней её звонка: «Поговори со мной: я тупею...»

Тут-то у меня разговор и заканчивается.

Ответственность.

Каким стал Высоцкий.

Как он повзрослел.

Каким стал великим.

Вот я представил, какой будет Алла.

## НЕ МЕШАЙТЕ!

Не нужна была бы атомная бомба, до сих пор бы вмешивались в химию, физику, биологию.

Атомная бомба освободила учёных от тюрьмы и от опеки.

Атомная бомба освободила науку, космос, подняла оклады, построила огромные академические города.

Как нужна такая бомба в искусстве!

Которая подняла бы гонорары и раскрыла глаза.

Надо уметь вызвать жизнь или хотя бы вызвать смерть, чтоб тебя уважали.

Мы времени не теряли.
Идя на работу, занимали очередь.
Идя с работы — брали.

В России закон — это не указатель, это совет.

Результаты выборов очень просты: раз нам так надо, значит, так нам и надо.

Мой девиз — правда в необидной форме.

Физкультура продлевает жизнь на пять лет.
Но эти пять лет надо провести в спортзале.
Может быть, лучше в спортзале, чем в гробу?
Не знаю!

Не говорите о росте преступности, имея сто программ кабельного и спутникового телевидения.

Неужели она растёт, невзирая на колоссальную занятость после работы?

А сериалы?

А юмор?

Неужели не отвлекают от бандитизма?

Что вы говорите?

ТВ работает круглые сутки.

И что?

Не удерживает.

А что, наоборот?

Как «выталкивает»?

Чем?

Что же, у бандитов вкус лучше, чем у редакторов?

Давайте-ка глянем, что нам показывают?..

Ну, тогда пошли на улицу.

## ЦУНАМИ

*(звонок из Москвы)*

Это Сахалин?.. Привет, я из Москвы...

У нас банкет по поводу ваших успешных гастролей...

Да, губернатор Сахалина здесь...

А у вас что?.. Цунами?..

И что? Залило?..

Не всё?.. А что?..

Полностью?..

Цунами?.. Кто послал?..

Японцы?.. С чем?..

С ветром?..

А ветер с чем?..

С дождём... И всё это из Японии... Видал?..

Здания нет?..

А ты где?.. На улице?..

Не слышу, чем уцелел?..

Чудом?..

Смело... А Гриша?..

Куда понесло?..

Двоих?..

И его, и концертмейстера?..

Куда понесло?..

И... обо что?..

Уцепились...

Ты их видишь?..
А Катя?..
С мылом?.. Каким мылом?..
А смыло?..
А рояль?..
Вырвало из филармонии?..
Только рояль?..
А её — оторвало от рояля?..
Чем?.. Ветром?..
Ну, вы закончили концерт?..
Ноты?.. Все ноты?..
А на память?..
Ну, начало — Шопен, концовку — Чайковский...
Так и было?..
Молодцы...
А ты где?..
В смокинге... Я пэнимаю... Пэнимаю...
Где ты?..
А, висишь...
Ну, труба... Это прочно...
Ты об инструменте? Ты её держишь...
А как настроение?..
Кому привет?..
Министру культуры?..
Мы тебя представим к званию, так что держи...
Обязательно...
Мы за вас выпьем...
Ну, счастливо...
Не пропадай...

Мечта советского молодого человека — когда его выгонят отовсюду, стать мужем вот той барменши в парике и золотых цепях, спать в кладовке на ящиках, появляться иногда с тряпкой.

Просить обслужить вне очереди вот того мужика с пустой бутылкой.

— Это кто, кореш твой?

— Не, Дуся, я его не знаю, просто он симпатичный.

Какую тоску наводят гаммы в окне напротив.

А одинокая труба общежития музучилища!

Всё одинокое тоскливо.

— Весна идёт, весна идёт, мы молодой весны гонцы.

Разгоняет весь двор припаркованных автомобилей.

Хор скучен.

Труба тосклива.

И я три года искал обмен.

Даже в Швейцарии от смерти не излечивают.

Дед предлагал внуку, чтоб сохранить в себе силу, поднимать кабанчика утром и вечером.

Он растёт, и ты растёшь.

Если вечером поднял, то и утром поднимешь.

Если утром поднял, неужели вечером не поднимешь?

Если вечером поднял, неужели утром не поднимешь?

И получился чемпион и тренер чемпиона.

Кабан по кличке Тренер.

При социализме у тупых больше шансов: в партию, в профсоюз, в худсовет, в цензуру, в обком.

При капитализме для них меньше мест: в ремонт дорог, в киоск, в санитары, в продавцы, то есть даже трудно найти место, где нужны тупые...

Вот они и тянут обратно в социализм.

Страшно, Виктор, когда тебя объезжает на твоём хребте хозяин или просто молодой осёл.

Это, конечно, не значит, что он умней.

Просто он тебя объезжает.

Хотя ты умней.

Хотя ты его презираешь, а он тебя нет.

Он тебя объезжает.

И ты, Виктор, бунтуя и осознавая, приучаешься к покорности, потому что за это платят.

Твоя работа — быть умней и покорней.

Это тебе и дают понять. И ты понял, Витя!

Теперь ум свой расходуй экономно.

Ты осознал, что ты умнее, но не главнее, Витя...

Как-то так получилось...

Что-то ты пропустил...

И твою скорость регулирует другой...

А ты настолько умней, что это понял и ждёшь команды.

Теперь надо найти жену, которая поймёт это с тобой.

Мемориальная доска: «В этом доме по улице Садовой с такого-то по такой-то жил, но не печатался великий писатель...»

В чём радость советской женщины?

С огромным трудом купить красивые туфли, прийти в них в театр и встретить ещё шестнадцать женщин в таких же.

Чем хороша наша жизнь?

Никогда не позвонит человек и не скажет:

— Молодой человек, собирайтесь. Вас ждут в Кремле. Вы награждены.

Этого нет.

Только:

— Вам необходимо явиться к 16.00, подъезд третий, при себе иметь паспорт или удостоверение личности. В случае опоздания награждение отменяется.

Бойтесь не страшных, а решительных.

# В КОЛЬЦЕ

Жена и муж.

— Тебе это кольцо не нравится, потому что ты ничего не понимаешь. Почему оно тебе не нравится?

— Потому что я ничего не понимаю.

— Оно всем нравится. Только тебе не нравится. Почему?

— Потому что я ничего не понимаю.

— Нашёл отговорку! Ну посмотри — разве оно некрасивое?

— Мне не нравится.

— А почему всем нравится?

— Потому что все понимают, а я не понимаю.

— Потому что ты гнусный.

## ВМЕСТО ЛЮБВИ

Настойчивый мужчина всегда пробьётся к сердцу женщины.

Даже если она его не любит.

Даже если у неё есть кто-то получше.

Потому что в этом она уверена, понимаешь, а во всех остальных нет.

Женщина выбирает не любовь, а опору.

А дальше...

Она ему изменит.

Он — ей.

Как обычно... И ничего...

## ИСТОРИЯ ВКРАТЦЕ

Дочке Анечке семь лет.

Когда приходили друзья, папа разыскивал её, затыкал ей ушки.

Рассказывали анекдоты.

Она вырывалась.

Кричала:

— А я всё слышала!

Однажды повторила.

Ей крепче стали затыкать.

Бедная, покорная, опустив головку в папиных мозолистых руках, ждала, когда прекратится гогот.

Она бы внимания не обратила, если бы ей не затыкали уши.

Он поехал за тишиной.

Он её нашёл там — дальше.

Он оставил всё дома: машину, вой сирен, визг тормозов, угрозы динамиков, мат подростков, крики дешёвых радиостанций, бесконечные объяснения тех, кто всё понял.

Он как-то ночью выбрался и уехал искать жизнь, лишённую голосов.

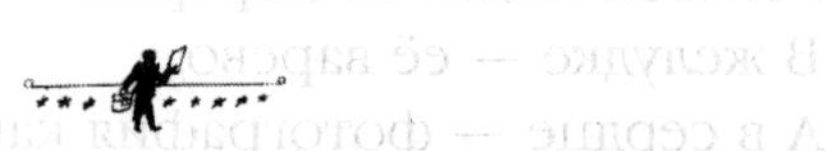

Народ тоже хочет знать, что делает государство.

Когда не знаешь иностранного языка, наш — великий и могучий!

Она смотрела большими красивыми глазами, потом прикрывала их и поворачивала голову.

Её учили не смотреть на повороте.

Его кардиограмма состояла из её оскорблений.

В печени нашли её слова.

Рентген выдал её портрет.

В желудке — её варево.

А в сердце — фотография какой-то девушки с золотистой косой.

Поразительно похожей на сегодняшнюю.

Ура! Это правильно: моя жизнь не так хороша, как стала лучше...

— Мы не сказали, что вы будете жить хорошо.

Мы сказали, что вы будете жить лучше.

Всё плохое в характере женщины — от красоты.

Красота закончилась, а характер продолжается.

В России я не чувствовал движение, но чувствовал дорогу.

Сегодня перестал чувствовать дорогу.

Сегодня у нас расслоение не имущественное, а умственное.

По имуществу видно.

Так они и жили.

Один широкий и щедрый, но денег у него не было.

Другой скупой и жадный, но деньги у него были.

Поэтому жили одинаково и умерли в один день.

А этот перелил из бутылки в живот, из живота — в канализацию и был счастлив дважды.

Я всегда чувствовал себя здоровым и думал — умру, когда захочу.

Тут вдруг почувствовал, что меня могут и не спросить...

Любимая фраза в фильмах про КГБ:

— Почему сразу не пришли к нам?

Кто-то пришёл сразу.

До сих пор его дома ждут.

Архангельск, люди, детские разговоры.

У них самый долгий мост.

Строился 38 лет.

Архитектор начал, потом его посадили, и мост его ждал.

Он вышел и достроил.

Хороший город.

Мне понравился.

— Так он понял или не понял?

— Он понял по-своему.

— Как по-своему можно понять закон Архимеда?

— Значит, не понял.

Ребята, качайте нефть без устали.

Всех подключим к нашим штуцерам, потом внезапно перекроем — и порадуемся!

— Завтра я еду на рыбалку, — сказал я.

— Значит, у нас будет рыба! — закричала семья.

— Я этого не сказал. Я сказал — завтра я еду на рыбалку.

Ему исполнилось девяносто лет.

На юбилее он читал свои стихи.

Ему сказали, что он такой же дурак, каким был в пятьдесят.

Он страшно обрадовался.

Громко! Не стесняясь! Громко!
Если тебе плохо!
Особенно ночью.
Особенно дома!
Особенно в поезде!
Особенно одному!
Ты сделай вот что.
Ты поговори с собой.
Ты говори себе.
Ты говори себе всё, что ты хочешь сказать.
Говори громко и медленно.
Оцени поступки свои.
Оцени трусость свою.
Своё безволие.
Свою глупость.

Вспомни всё, что тебе не нравилось в себе в последнее время.

Встань.

И говори себе, что бы ты сделал на твоём месте в этой ситуации.

Говори. Не молчи.
Ты найдёшь выход.
Взвесь всё, что по дороге.
Осуди себя.
Осуди других.
Громко, чтоб он тебя слышал — ты себя.
Твой тон разговора уже успокоит его.

А если ты найдёшь и обсудишь, взвесишь и отбросишь, взвесишь и оставишь.

Он услышит тебя.
Для тебя главное — его успокоить.
Себя!
И ты сделаешь это!
Затем вы примете решение!
Обними себя руками.
Почувствуй — ты себя держишь в руках!
Эти руки тебя не предадут.
Ты успокоился.
Ты приобрёл друга.

Самоуверенные в жизни, на дороге — угроза себе и остальным.

Ты верти головой!

Ты всматривайся и вслушивайся.

И помни, паникёр — всегда здоровее!

Чтоб разглядеть текст, я должен надеть очки.

Чтоб разглядеть жизнь, я должен выпить.

То есть выйти за свои рамки.

Пессимизм — «чтоб я сдох».

Оптимизм — «чтоб они сдохли».

Как живут в России.

Иногда выпьют от нечего делать.

Иногда сделают от нечего выпить.

И часто умирают от нечего делать и от нечего выпить.

Как услышите, что политик говорит слова о взвешенном подходе и гибкой налоговой системе, гоните его в шею.

Он никогда не объяснит, что это значит.

Главное в фильме ужасов — звуки.

Буквы захлопнул, и ужас пропал.

А от звуков куда денешься?

Когда мне говорят:

— Имейте совесть!

— Уже имел, — говорю я.

И все понимают.

Извини за прошлое.

Прости за настоящее.

Оно было будущим твоего прошлого.

Ты торопил его, теряя и приобретая.

И получив будущее в настоящем.

Ты лишился перспективы, ты заступил за горизонт.

И некому крикнуть:

— Вы же обещали!

Раньше это было у других.

Теперь это есть у тебя.

Зависть крупно выиграла, жизнь крупно проиграла.

Раньше всё время чего-то хотелось.
Теперь всё время чего-то не хочется.
И не впутывайте меня.

Какой красивый русский язык: почему «я тебя не забуду» — звучит любовно?

А «я тебя запомню!!!»...

Настоящий одессит даже пение заменяет жестикуляцией.

Из Одессы треть населения уехала.
У меня простой вопрос.
Больше досталось тем, кто остался?
Думаю над этим.

Собаки ненавидят котов, потому что те неоткровенные, скрытные, волевые, с большим самомнением и непьющие.

Псы — натуры широкие, наивные, привязчивые и облизывают хозяина, что для кота противоестественно, потому что хозяин он.

Есть три пути развития.
Первый путь — стоять на месте.
Второй путь — лежать на месте.
И наш третий путь — лежать на правильном пути.

Когда в СССР рабочий тащит с завода государственное — это нельзя назвать воровством.

Это не присвоение чужого.

Может быть, он взял своё — никто не знает.

А собственность — это сращивание человека с землёй.

Он не муха — кыш и улетел.

Он дерево в земле.

И вырвать его оттуда — огромную силу надо приложить.

И чтоб с места сдвинуть, огромную силу надо приложить.

И чтоб подчинить его, огромную силу надо приложить.

И как бы он ни соображал — тут сообразит и что делать, и у кого спросить.

И, если надо, взятку даст тому, кого послали его сдвигать.

Очень большую силу, волю и средства надо приложить, чтоб сдвинуть или согнуть его.

Поэтому всё делается против собственности — и суды, и власть, и парламент, и воспоминания о вождях и санаториях.

И о врагах не забывать, чтоб всегда можно было сказать:

— А ну, кыш отсюда!

И усесться на его месте.

Кто во мне пропадает, ребята, так это квалифицированный, тонко чувствующий, много думающий посудомой.

Особенно нежной стеклянной посуды.

Люблю рюмочки пальчиками до терпкости.

Мы с мамой перед мытьём выпивали остатки и мыли всё лучше, и говорили всё громче.

И я спрашивал:

— А правда ли?

А мама говорила:

— Миша, ты должен знать: женщина не переживает, она просто лежит. А мужчина работает. Ты должен беречь своё сердце...

Я говорил:

— Мама, как ты можешь мне это говорить?

— Ты же мой сын, и я хочу, чтобы ты был здоров и от этого счастлив.

— Мама, ты разбила рюмку.

— Я специально.

Если хорошо постарел — всё иное.
Тогда тебя уже окружают не читатели, а народ.

Я не кассетный и не дисковый, я бобинный мальчик, и музыка у меня ещё та, хотя штаны уже эти.

Если начнут работать законы о коррупции — значит, она кончилась.

Протест — чтоб услышали.
Талант — чтоб запомнили.

У обычного художника вы смотрите на красавицу.
У великого — она смотрит на вас.

Моя сатира не на протесте, а на сострадании.
Я дешифровальщик.
Я расшифровываю пузыри утопающих.

Трудно быть евреем в этой стране.

Языка не знаем.

Религии своей не знаем.

Истории не знаем.

Значит, евреи не настоящие.

В то же время в президенты не берут, морду бьют, в трамвае оскорбляют — значит, настоящие.

Приезжаем в Израиль.

Языка не знаем, истории не знаем, дети русские, жёны русские, зовут русскими — значит, ненастоящие.

Но в армию берут, в государство берут — значит, настоящие.

Кто еврей настоящий? Тот, кто этим живёт, или тот, кто от этого страдает?

Нет ответа.

Вот такие мы: то жизнь против нас, то мы против жизни...

Почему мы знаем всех, кто разбогател, и не знаем тех, кто обеднел?

Там не меньше выдающихся людей.

Сегодня при такой политике партии и правительства множество людей перестали быть известными, хотя не перестали жить.

— Михал Михалыч! Мой отец, как вы: говорит, говорит и что-нибудь скажет. Вам надо познакомиться.

— Да, — сказал я себе. — Этот парень сформулировал лучше меня.

Многие спрашивают:
— В какое время мы живём?
Отвечаю:
— В трудное — это раз.
В переходное — это два.
В бурное — это три.
В неопределённое.
В сложное.
В непривычное.
В случайное.
В короткое.
В интересное.
Всеобщих испытаний.
Ожиданий.
Разгула преступности.
Халатности.
Отмывания денег.
Целования трубы.
Борьбы за жизнь.
Разгадок природы.
Загадок Вселенной.
В общем, в это время лучше не жить.

Я бы сам себе придумал этюд.

Одинокий мужчина читает толстую книгу и пьёт водку.

И пьянеет, и продолжает читать, и продолжает пить.

И очень переживает.

И от этого пьёт.

И от этого переживает.

И не может оторваться.

И от этого плачет, и от этого пьёт.

Суть демократии — называть вещи своими именами.

Тогда смысл есть в жизни и в выступлении.

И люди исполняют свой долг, так как понимают, в чём он заключается.

И наказание соответствует преступлению.

И все знают, о чём идёт речь.

И значительно меньше обмана и, что ещё хуже, фальши, то есть признания в якобы присутствующей любви к руководству страны.

Моя обязанность — не зависеть ни от кого.

Ничего нет хитрого в том, чтобы не зависеть от верховной власти.

Не ходить туда.

Не просить.

Всё равно они не дадут того, чего у тебя нет.

Ну и живи, как жил.

А вот независимость от хозяина тебе даст ценность твоя.

Неоценённый, ты будешь независимым от всего — от денег, от людей, от детей.

Твоя независимость, твоя ценность.

Полная независимость, когда ты за собственные мысли или за собственную личность получаешь деньги от кого ты захочешь.

Это уже зависимость от тебя.

У такого независимого в зависимости довольно много людей, чью ценность он и определяет.

Ядовитые грибы хотят, чтоб их съели, настолько, что вырастают без характерной для них юбочки...

Так и политики...

Из мускулистых как-то ничего толкового не получается.

Всё равно ими кто-то из дряблых командует.

Анекдоты нельзя печатать, их надо передавать по кругу.

Тогда они шлифуются, как бриллианты.

Не требуйте от меня, чтобы я жил, как вы хотите.

Попробуйте жить сами так, как вы этого требуете от меня.

На войне нужны стихи.

В остальное время можно обойтись прозой.

Для прозы нужен покой.

— Ты почему меня не узнаёшь? Я несколько раз с тобой знакомлюсь. Два раза пил на брудершафт. Два раза, подчёркиваю. Ну-ка, скажи — кто я? Ну?..

— Ты артист пермского драмтеатра.

— Я?! Ты меня видел на сцене? В Перми?

— Ты кинооператор?

— Кто?! А как это? Это же учиться надо?

— А-а! Ты — завотделом культуры.

— И сколько он получает?

— Тысяч пятнадцать.

— Я похож на человека, получающего пятнадцать тысяч в месяц?

— Ты врач.

— Какой?

— Хирург.

— А ты был у меня под наркозом? И мы пили на брудершафт?

— Ты — гаишник на трассе Ростов — Дон.

— И мы пили на трассе на брудершафт?

— Ты юморист?

— Неужели я так неудачно шучу?

— Мы летели на Север?

— Нет.

— Так вот, слушай теперь меня. Что ты сделал, чтоб я тебя запомнил? Пил со мной? Допил меня до брудершафта. Ты не летел, не лечил, не шутил, не играл. Что я должен помнить? Твой рост? Ты голубой?

— Ты что!

— Так чего ты хочешь? Что запоминать?
— Михаил, а вот этот разговор ты запомнишь?
— Так это же я сам сказал.
— Вот ты и запомни!
— Так кто ты такой, напомни?

У меня много записных книжек.
Возраст их от моих тридцати трёх лет до сегодня.
Так вот, раньше на год уходило три книжки.
Теперь одна книжка на два года.
Вот такие возрастные изменения.
Пока не сел за стол.
В первых оказались намётки.
В последних — всё готово.
Бери и выступай.

У нас Сталина любят за создание очень эффективной государственной системы: сегодня донёс — завтра посадили.

Аплодисменты во славу Сталина — тех, кто не сел, — очень искренние.

Сколько раз я говорю себе громко и внятно в ответ на всё:

— Ты можешь быть только человеком. И будь им. Остальное — с переменным успехом.

Второй муж моей жены, если считать отсюда, уже там...

Женился на фермерше, ждёт успех в Аризоне.

У нас во дворе скандал.

Начали коты.

Присоединились собаки.

Присоединились хозяева:

— Не смейте мою собаку бить!

— Это общая собака.

— Это ты общая. А собака моя...

На тебе! На тебе! На тебе!

Полдня ревело и стонало.

Наконец все затихли.

А коты всё завывали, пока кто-то палкой не запустил.

Тогда окончательно затихло, и стало понятно, кто начал скандал!

Тихушники...

# ДВОЕ

Итак, мы в купе.

Мы видим друг друга в первый и последний раз.

Мы говорим откровенно.

Мне сорок.

Тебе двадцать.

Я холост.

Ты замужем.

Меня будут встречать, и тебя.

Он высокий, стройный, но, как я понял, на этом всё кончается.

А я маленький, лысый, но, как ты чувствуешь, на этом только начинается.

Будь внимательна и решительна.

У нас двадцать четыре часа.

Деньги или искусство?

Я думаю, дружить надо и с теми, и с теми.

Друзей должно быть несколько.

Искусство без денег имеет вид болезненный и раздражённый.

Яркая талантливая злоба...

Деньги без искусства — это сытая скука и широкое гостеприимство.

Мы были уверены, что есть наука без денег.

Но, когда все мозги и мышцы рванули туда, где есть деньги, и оттуда пошла наука и лекарства. И даже наша власть, которая всегда ненавидела деньги для науки, вдруг в советское время стала строить закрытые города и направлять в них золотые потоки. И оттуда пошли ракеты и подлодки.

Получилось, что нет — не вредны́ деньги для науки.

Деньги вредны в юности, ибо способствуют раннему старению.

В зрелости они идут в работу, в старости — в заботу, в виде наследства.

Деньги надо соединять с работой.

А иначе — раб с деньгами или мастер без денег.

А мастер без денег — это тоже раб.

Давайте соединим мастера с деньгами.

Это и будет человек.

Пить вдвоём коньяк!
Молча!
И смотреть в глаза.
Молча.
Вдвоём.
Молча.
Попробуйте.
Молча.
Вдвоём.
Попробуйте!

Советская власть возвращается в худших формах. Если бы в лучших — кто бы возражал?

Наша интеллигенция себя презирает, но я не слышал, чтобы себя презирал рабочий класс.

Хотя у него не меньше оснований.

Моё правило: начинаю писать с середины.
И мысль от писания,
а не от рождения.

Жить — это подняться и опуститься.
И жить дальше, имея в запасе эту высоту.

Какая бы у тебя плохая память ни была — тебе не дадут забыть, что ты еврей.

В школе при советской власти ученики на двух партах вырезали слово «икс», «игрек» и так далее...

Директор в панике: не стирается, не закрашивается.

Физик придумал и дорезал слово — получилось «XVIII съезд партии».

Вот человек! Вот характер!

Дёргается, моргает.

Быстро, категорически и запальчиво говорит.

С ним сразу хочется спорить, победить и опозорить его.

Вызывает же человек на себя такой огонь.

Но такой человек первым начинает стрелять.

Отовсюду он поворачивается и уходит.

Но там, где он был, остались люди с багровыми лицами, дрожащими руками.

Кто-то просит водку, кто-то валокордин.

Что же ты такой неуёмный, категоричный, ни в чём не виноватый, запальчивый, крикливый и неубедительный, и омерзительно неправый.

Всё-всё-всё — можешь идти.

Рук не хватает сердце держать.

# ВОЙНА

*(опытный образец)*

— Где неприятель, товарищи?

— С утра был, товарищ полковник.

— А куда он делся?

— Сейчас будем смотреть. Может, они отошли, товарищ полковник.

— Час назад разведка их видела и мне докладывали.

— Дак эти пьяницы кого только не видят, тем более с утра. Я одного остановил — спирт в бинокле на портупее. Тоже в ту сторону смотрел. Линзы, говорит, протирать!

— А если ударить артиллерией?

— Думаете, побежит?

— Если есть, побежит, а если нет, будем выдвигаться. Как настроение в частях?

— Нормальное... Хотя...

— Что? Конкретно.

— Злости нет, я уже не говорю про ненависть. Неприятель-то свой.

*Полковник*: Ну и что? Убьёт всё равно.

*Адъютант*: Дак они по мобильникам давно перезваниваются. Стойте, стойте, может, они договорились?

*Полковник*: О чём?

*Адъютант*: Ну что, мол, те отойдут, а мы село займём. Потом мы отойдём, они село займут. Награды, то, сё, и без потерь. Они ж, гады, всё время перезваниваются.

*Полковник*: Солдаты, что ли?

*Адъютант*: Да все!

*Полковник*: А майор где вчера был?

*Адъютант*: У них, видимо.

*Полковник*: В плену, что ль?

*Адъютант*: Ну да, напились здорово, наш даже переводчика затребовал. Хотя там все на русском лучше, чем на своём. Ну его, как пленного, генералу предъявили. Генерал золотые часы своему майору и нашему. Если вы не возражаете, наш майор ихнего майора приведёт. Можно?

*Полковник*: Давай. У меня там пистолет наградной серебряный. Только пусть позиции займут.

*Адъютант*: Будет исполнено.

*Полковник*: А их командир где?

*Адъютант*: Раненый.

*Полковник*: Чем?

*Адъютант*: Охотились они у нас в тылу на горного козла. Все промахивались, а козёл не промахнулся.

*Полковник*: Всё! Передай, что я принимаю командование над частями неприятеля, также будем выводить их из нашего окружения.

*Адъютант*: Здорово, Егор Кузьмич, единственно правильное решение.

*Полковник*: Подбрось им боеприпасов, горючего. А они с нами пусть поделятся харчами. Завтра в 6.00 артподготовка.

*Адъютант*: Рано, товарищ полковник.

*Полковник*: Ну ладно, в 9.00. Сверим часы. И чтоб ни одна собака не проспала. Ну, давай в 9.30. Значит, подъём — 7.00, завтрак — 8.00, в 9.30 — артподготовка, в 10.37 — наступление по всему фронту до 11.15, потом привал. Обед с 12.00 до 14.00 и допрос пленных — чтоб они были! Теперь главное: это не учение, это военный конфликт. Строжайший приказ: противник должен быть на своих позициях к началу нашего наступления. Село пусть освободят к 9.00. А с наступлением темноты, как только пресса и ТВ отснимут пленных, раненых, — выставляйте боевые посты, в 23.00 совместный ужин офицерского состава в честь победы. Кто победил, установим на совещании после банкета.

Юмор в одиночку невозможен.
Плач — да!
Любовь — да!
Даже осмотр одежды — да!
С примеркой!
И зеркалом.
Юмор рождается только в контакте.
Либо с другими.
Либо с бумагой.

В конце концов, украинцы, грузины, как молодожёны — хотят жить одни, а мы, как родители, хотим жить с ними.

Портят ли человека деньги?
Вот вам повысили зарплату...
Вы испортились на эти 500 рублей?
А на 2000?
Нет, деньги не портят человека.
То, что они его не улучшают, вот это беда.
Всё плохое остаётся при нём.
Даже добавляется подозрительность.

Четыре дня рождения в один день.

В воскресенье.

Вот мы с утра и начали.

Утром спевка под гитару.

В 7 утра с пением «Москва золотоглавая» — бутылку на стол.

Две бутылки в карман.

А там уже гуляют.

Такси дежурит, не глуша.

Четыре букета на заднем сиденье — и в следующий дом.

Ни пить, ни есть ничего не можем.

Но пьём и едим.

Такси дежурит.

«Москва золотоглавая», «Старинные часы», «Позови меня с собой» — и в следующий дом.

Там только именинник сидит, остальные лежат.

Из нас один дошёл с букетом, остальные в такси остались.

Ну, нельзя так.

Они в одном месте праздновать не хотят.

Амбиций у них много, а закуси нет.

Косит народ водка, ух, косит.

Теперь вот это — почему я вам всё это рассказываю.

Или вот это — почему я всё это вспомнил.

А-а-а... Опять мы и опять в такси...

И опять без закуски.

Четверо нас, и все домой не хотят...

И практически каждый прав.

Человека в больницу одного отпустили, без друзей.

Другому дверь домой не открыли, он стекло камнем выбил.

Они все там внутри позамерзали.

А третий — холодильник на себя опрокинул, не мог уже это всё видеть, простудился...

Я вот... Она меня...

Короче, со мной развелись, я и облегчения не почувствовал, и обратно не хочу.

Так в такси и сидим...

# ХОРОШО И ПЛОХО

И может быть плохо.

И плохо может быть долго.

И долго может быть месяц.

Это у человека!

У государства — два года.

Для человека месяц — это много.

Но это может быть!

И тогда, чтобы стало легче, — вспомни, что такое — было хорошо.

И ты поймёшь, что тебе сейчас не так плохо.

И ты привыкнешь к этому.

И это будет следующий месяц.

А тот месяц кончится.

Я работаю над телефоном, который не пропускает скверные новости.

Он молчит уже месяц!

Ага, вот и звонок...

Что вы говорите? Куда вы меня приглашаете? В прокуратуру?

Чёрт! Опять слово «приглашают» он не понял.

Слово «вас вызывают» он не пропустит.

А «вас приглашают» он не понял.

Чёрт, он не понял, какое это приглашение.

Чёрт, надо ставить вторые слова: прокуратура, налоговая, милиция, психдиспансер, ЖКХ, тёща, осмотр нового дома у кого-то.

Приёмная комиссия объявляет приём на факультет менеджмента по специальности «Миллионер — владелец строительной фирмы», «Миллионер — владелец сухогрузного флота», «Миллионер — председатель совета директоров», приём документов до...

Конкурс на одно место — сто пятьдесят восемь миллионов четыреста тысяч триста одиннадцать человек и три марксиста-ленинца.

В Одессе я устроил капкан.

От большой дороги ведёт узкая к моим воротам.

Раздваивается.

Знаков никаких нет.

Две девочки уже попались: Анечка и Олечка.

Высокие, красивые, за рулями дорогих машин.

Они не замечают раздвоения дорог, въезжают.

Едут между заборами, упираются в мои ворота, а назад не могут.

Молодые, красивые, на дорогих машинах назад не могут никогда.

Я ещё сзади повесил яркий фонарь.

Если меня уговорить — открою ворота и подарю разворот.

Хотя это уже будет вторжением в мою частную жизнь, чего я и добиваюсь.

# ТЕЛЕФОНЫ

Я просматриваю телефонные книги — что осталось?

Я не говорю, кто остался.

Что осталось от этих номеров?

Господи, что оставил от них?

Память.

Всё-таки надо, чтобы в кирпиче, в букве, в металле.

То, что они в моей, как я — в их телефонных книжках.

56—87—19 — мои цифры.

Я на эти цифры откликался в Ленинграде десять лет.

На 54—45—37 откликался знаменитый драматург, чьи пьесы шли по всей стране.

На цифры 73—38—85 откликался замечательный театральный критик, первый, проведший границу между остроумием и острословием (Евгений Колмановский).

54—55—87 — откликался автомастер «Жигулей» СТО-5.

Вот такая наша жизнь в таких этих номерах.

Что в этой жизни?

Люди!

Вот эти: 14—35—35 — (Евгений Болотинский). Его джаз-оркестр подбирал меня, вытаскивал из любых помоев и ставил на сцену возле себя.

Я не пропал благодаря ему.

92—52—48 — стихи в песнях.

«Травы пахнут мятою».

77—61—63 — замуж, замуж.

Надо замуж, надо отведать всё и всех — и замуж. Расчёт верный.

Оторвость — кратчайший путь в замужество.

Девушка скромная, тихая, порядочная и одинокая — такой и будет называться всю жизнь, а 77—61—63 приехала из провинции и выскакивала замуж раз пять.

Я её рекомендовал как талантливую актрису.

Другой её рекомендовал как талантливую поэтессу, третий её рекомендовал как прекрасного бухгалтера, четвёртый — как преданную жену. В результате квартира в Питере, квартира и дача в Москве, ни одного ребёнка и собственная бар-дискотека в Пензе.

33—17—94 — друг, гонщик, прекрасный человек, я его сам потерял.

Выгнали меня из Питера, уехал в Москву, в Одессу.

А главное — ушло то время.

Телефоны стали семизначными, одиннадцатизначными, и я перестал работать в этой дружбе.

Я начал ездить, уставать, не звонить и жить в другом городе.

А в Ленинграде, конечно, решили: испортился и всякое другое.

А чтоб дружить — надо видеться, и я потерял моего замечательного 33—17—94, Леонид Давыдыч.

Рабинович — гонщик. Съёмки. На полной скорости сквозь три подъезда.

Ленинград — Москва. Кирпич, на газ, вперёд!

А когда пошли машины, выдвинулся 39—22—31 — великий человек, если ты с ним дружил — ты ездил.

Ты ездил, пока он дружил.

Что-то пробежало — и ты пошёл пешком со всеми секретками от зеркал, колёс, дворников.

Всё переставало работать.

Как он этого добивался?

495—16—14 — казалось бы, она завлит Театра миниатюр и он муж, известный как муж завлита Театра миниатюр, — теперь художник всемирно известный (Целков).

Живёт в Париже.

Работы дороже квартир, а для меня был мужем завлита.

Я общался с ней.

Знал бы, общался с ним.

Всё зависит от того, в чьей памяти вы собираетесь остаться.

Эти номера помню и помнить буду!

Всегда ваш.

— Эй, дед, у тебя что, пропуск в женский туалет?
Вернись сейчас же!
Ишь, жена у него там.
Выйдет — жди, стой или стой, жди.
Держись вон за ту скобу.
Вот и стой.
Что ей крикнуть?
Как её зовут? Мария Степановна?
Что ей сказать, что ты здесь у скобы?..
Эй, кто тут Мария Степановна?!
Вас муж ждёт в прихожей.
За скобу держится.
Вы его узнаете, он держится за скобу.
Не спешите, он держится за скобу.
Он сказал, что вы его узнаете.
Хорошо, я присмотрю за ним.

Мне очень нужно нерассуждающее бесстрашие.

Или совсем не надеяться, или совсем быть уверенным.

Или жизнь поставит меня на эту грань.

Или я сам заползу.

От интеллекта — польза не мне.

Кризис кризисом, но человеку нельзя многое терять, чтоб не стать сволочью.

Как перевести на английский: «Что делаете? — Сидим гуляем!»

# ЭТЮД

Сквозь тишину и музыку проступают слабые голоса:

— Почему ты не женился на мне?

Я слышу эти голоса.

Тихие и печальные.

Я отвечаю им тихо и печально:

— Я старался. Но я же не мог на каждой.

Здесь проигравших нет.

Не считая счастливого месяца сразу после свадьбы и сразу после развода.

Всё одинаково. Жалеть не надо.

Но я ещё постараюсь.

Не переживайте, вы тоже хорошие.

И те тоже хорошие.

— Какие те? — слабо шелестит. — Какие те?

— Какие были. Они ушли, но они все здесь.

Так до сих пор и разбираемся, разбираемся, разбираемся, разбираемся.

— Ты уснул?

— Да.

— Жаль.

— Да...

— Спи, но только обязательно, обязательно надо...

— Да...

— Это просто обязательно... Надо... Просто обязательно...

— Да!..

— Да, обязательно, обязательно надо...

— Да, да...

И снова музыка Аркадии.

Там уже четвёртое поколение танцует, а первое всё не может успокоиться...

— Пойми — надо, надо, обязательно надо...

— Да... Я понял, понял. Спите!

# ПРИСПОСОБИЛИСЬ

Нет того, что мы хотим.

Есть то, к чему мы можем приспособиться.

Народ в войне победил потому, что приспособился.

Приспособились к войне, где количество жертв наше командование не интересовало и надо было просто спасаться.

И народ приспособился к войне и научился.

И вооружился лучшим из того, что было у обеих сторон.

И оделся в обмундирование, которое было удобным.

И разобрался во вражеских консервах, лекарствах.

Стал заранее вычислять промахи своих и чужих начальников.

Освободился от рабства и победил.

Так будет и с мирной жизнью.

## СТАРОЕ ВРЕМЯ

**Я** в разъездах.
Всегда по гостиницам.
К большому начальнику:
— Дайте распоряжение забронировать гостиницу.
— Дал.
— Точно дали?
— Вот при вас говорю по другому телефону.
Прислушался. Точно! Говорит!
Приезжаешь туда с чемоданами.
Никто, ничего.
Не слышали.
Не знают.
— Вам звонили?
— Никто не звонил.
— При мне звонил Николай Иванович.
— Куда он при вас звонил?
— В вашу гостиницу.
— Туда и поезжайте. Там вас ждут.
Звоню начальнику.
А он уже домой уехал.
Вернулся сюда.
А здесь уже администратор ушёл.
Кто-то говорит:
— Идите к Бакурскому, он всё решит.
Узнал, кто такой Бакурский и где он сидит.

Пришёл, а его уже нет.

Вернулся и за ночь дал столько, сколько не давал никогда и никому.

И, кстати, хорошо бы поспал, если бы не поезда.

У них окна — на маневровый узел.

Перегоняют составы с путя на путя.

Гудками, матом и свистками.

Я тоже свистнул из окна, состав тронулся.

Тут же — мат со всех столбов.

Но я уже спал глубоко удовлетворённый.

Всех обманывает Америка.
Может быть.
Но почему Англия так не считает?

Наша жизнь напоминает забитое шоссе и бескрайние поля вокруг.

Снова наступает диктатура пролетариата.
Гегемон возвращается.
Три завода борются за одного слесаря.

В нашем деле работают не на результат.
Работают на время.

У мужчины три центра тяжести: физический, умственный и третий.

Приехал в Россию, в Москву после летнего перерыва.

Пробки те же.

Пенсии те же.

Взрывы те же.

Пожары те же.

Выводы те же.

Уроки те же.

Взятки те же.

Агрессия та же.

Страх тот же.

А я привёз загар, веселье, огромные помидоры и бутылку домашнего вина.

Куда мне с этим?

Люблю тех, кто от злости плачет, а не звереет.

У меня прекрасное настроение.

Пока не наткнусь на зеркало.

Нет зеркала — думаю обо всех.

Есть зеркало — думаю о себе.

Раньше в золотых цепях — братки.
Теперь — врачи.
Успех кочует по профессиям.

Когда встречаешь знающего эрудированного учёного — он тебе заменяет что?

Краткое содержание книг, которых ты не видел.

# ЛИТВАКУ В ОДЕССЕ

Борис Давидович!

Ты прокладываешь лыжню.

Мы гуськом за тобой.

Как говорят в спорте — «клеиться к лидеру».

Мы с тобой выросли в то время, когда всё знали наизусть.

Всё в голове — ничего на бумаге.

И всё при себе: вещи, бельё.

Набор для любви.

Набор для тюрьмы.

Набор для голодухи.

Главное — дружба и порядочность.

Хотя это одно и то же.

У какого-то ребёнка глаза с каждым годом становились всё хитрее.

Он уже к десяти годам скопил что-то более существенное, чем мнение.

А мы начали жить в шестьдесят.

Наша власть всегда путала причину и следствие.

Она придвигала к народу динамики, а надо было придвигать микрофон.

Что ты и сделал в бурные девяностые.

До этого молчание было знаком несогласия.

Слышно было, что он ест, но не слышно, что говорит.

Борис Давыдыч, ты был избалованным ребёнком.

Ты говорил, что хотел.

От этого ты такой худой, лёгкий и остроумный.

А сегодня ты не только сказал, ты построил, что хотел!

И сказанное, и построенное тобой будет жить, радуя! Радуя!

Тебя знает или думает, что знает, весь русскоговорящий, и нерусскоговорящий, и плохоговорящий мир.

Теперь если спросят: «Кем хочешь быть, Литвак?»

Отвечай: «Здоровым!»

Разреши мне от всей души и от себя лично пожелать тебе крепкого здоровья и долгих лет личной жизни, чтоб сохранить успехи в работе.

Ты заслужил всё, что может придумать самый любящий тебя человек.

Не ищи мою руку, Литвак.

Я обнимаю тебя.

Твой М. М.

Внутреннее состояние возникает раньше причины.

Возникает состояние тревоги, и ты ищешь и находишь причину.

Возникло состояние влюблённости — найдёшь что-нибудь неподходящее.

Возникла ненависть — подберёшь под неё людей.

Вдруг состояние счастья, и ты, не зная отчего, — ищешь.

Ищешь кого-то и, конечно, находишь.

Это настоящая причина!

Причина — само состояние.

А следствие — поиски причин.

Даже эти попытки разобраться в причинах тоже возникли от состояния и настроения.

Берегите настроение и не ищите причин.

Ваше здоровье!

Необходимое качество высшего света — это дамы с иронией и тонким юмором, а не с большой грудью и открытыми ногами.

Что тоже неплохо.

Когда высокая женщина говорит: «Жизнь коротка», — никто не удивляется, настолько ей это идёт.

Протестуя, жертвуешь собой, рискуя своим делом. Сберегая себя для этого дела, ты думаешь о деле, опять не думая о себе.

Молчаливый правильно оценивает свои мысли.

# ЗЕЛЕНАЯ ОСЕНЬ

Вторая половина сентября в Одессе.

Погода «всё созрело».

Это плюс двадцать четыре.

Листва уже не покрывает плоды, и они выглядывают из-за маминого плеча.

Птенцы повзрослели.

Дети улетели.

Город опустел.

Люди заинтересовались газетами.

— Говорят, зима будет холодной.

— Кто говорит?

— Его уже арестовали.

Украина, Белоруссия, Казахстан, Молдавия должны быть независимы.

России второе братство народов не потянуть.

Добрая девочка:

— Ой! Я бы всем поставила пять. Всем! И при поступлении всем-всем — высший балл.

Чудная девушка.

— А что вы сегодня вечером делаете?

# ЗНАЧИТ, ТАК И БУДЕМ ЖИТЬ

На все сообщения по радио и телевидению он отвечал:

— Ну, что делать. Так и будем жить.

Был урожай или не было урожая.

— Что делать. Значит, так и будем жить.

Развалилась советская власть. Пришла разруха.

— Ну, что делать, — сказал он. — Значит, так и будем жить.

Взлетели цены. Упали цены.

Ещё взлетели цены. Упал спрос.

Открылись границы.

— Ну, что делать, — сказал он. — Значит, так и будем жить.

Исчезли старые доктора.

Появились новые лекарства.

Вздулся кризис. Опал кризис.

— Ну, что делать. Значит, так и будем жить.

Пришла старость.

Одна за другой отступили женщины.

Одна за другой наступили болезни.

— Ну, что делать. Значит, так и будем жить, — сказал он.

Один раз он не успел это сказать...

И выяснилось, что как он говорил, так и жил намного дольше и намного лучше других.

## НАША ЭМИГРАЦИЯ

Мы до сих пор не поняли, отчего сегодня страдаем?

Отчего жизнь кажется нам холодной и не нашей?

Почему наши люди ждали и ждут чего-то другого?

Мне кажется, оттого, что они видят движение с акциями, биржами, инвесторами и ничего не понимают.

И это полбеды.

Но главное, они в этом не могут участвовать.

Они не понимают главного, что они попали в эмиграцию на своей земле.

Такое случилось с нами.

Те, кто сделал это сознательно, меняют профессию как настоящие эмигранты, меняют характер, встают в 5 утра, ложатся в 10 вечера, пишут о себе хвалебные отзывы, держатся за место, берегут жену от угона, меняют ежедневно бельё, сдают экзамен на право жить здесь, в эмиграции, но возвращаться в прошлое не хотят.

Они готовы уехать, но не возвращаться.

Здесь все силы новых обучившихся уходят на борьбу с весьма загадочной администрацией президента.

Вначале всё наше захватили олигархи.

Теперь всё наше администрация пытается отбить у них для кого-то.

Мы отсталые, ничего этого не знаем и в глаза не видели.

Дети наши другие, они те, что будут.

Мы — те, что были.

В костюмах, ватниках и выставках 60-х годов.

От нас они уже ничего и не хотят — наши дети, — если мы ничего не понимаем.

Но мне кажется, что и мы не хотим вернуться, ибо дети нас бросят.

Вот и выбор: назад без детей или вперёд без родителей.

Ваш, ваш и твой.

Чем беднее страна, тем больше в ней очень богатых людей.

Книга «Моя кулинария» в двух томах.

Том первый — как я угощаю своих друзей!

Том второй — как меня угощают мои друзья.

Когда я побывал в Америке,

Я понял, где кончается Одесса.

Это уже не город.

Это уже характер.

Это уже язык.

Это уже выражение лица.

Вы же уже слышали, как говорят по-английски с одесским акцентом?

Это, конечно, мать!

Одесса — это устройство головы, души и желудка.

Она так накормит!

Так согреет!

И так выслушает!

Это, конечно, даже не мать... Это — ой, мама — мамочка! И всё!

И если вы думаете, что ещё что-то надо?!

— Нет!

# ГОСТИ ИЗ АМЕРИКИ

Сын в Одессе.

Они в Америке.

Сейчас они в ресторане. В Аркадии.

Сын играет в карты, родители что-то едят и угощают меня.

Сын чем-то владеет в Одессе и играет в карты с кем-то за дальним столом.

Они из Майами.

*Мать:* Миша, мы, слава Богу, в таком районе Майами...

*Сын:* Оттуда, мама!

*Мать:* Я ничего не сказала.

*Отец:* У нас бассейн.

*Сын (издали):* Папа!

*Отец:* Молчу... Миша, у нас такая квартира! 2000 футов.

*Сын:* Папа!

*Мать:* Два бассейна во дворе.

*Сын:* Мама!

*Мать:* Я что, не могу Мише рассказать?.. У моря такой дом, такой дом...

*Сын (играя в карты, издали):* Мама!

*Мать (шёпотом):* Пока он не слышит. Я себе сделала подтяжку.

*Сын:* Мама! Мама!

*Мать:* Он ещё слышит... Отойдём.

*Сын:* Мама, не смей.

*Мать:* Ещё отойдём... Мы там пользуемся только двумя комнатками... Остальные... Это... Ой... Мы стесняемся в них заходить.

*Сын:* Ну, мама, ну ты что!

*Отец:* Я был начальник отдела, но я разве мог представить, что мой сын так процветает...

*Сын:* Папа, ну ты можешь...

*Отец:* Молчу... Эти рестораны, эти карты, эти друзья... Это в Одессе.

*Сын:* Папа! Мы сейчас уйдём!

*Мать (шёпотом):* Он нам такую квартиру, в таком доме в Майами... Два бассейна, охрана. У папы такая машина! Такая машина!... Он уже не может задним ходом, но на ней не надо задним ходом. На неё надо смотреть... А! Я смотрю и пла́чу...

Я вдруг спросил: Это он всё из Одессы вам?..

*Отец:* А откуда?

*Сын:* Михал Михалыч, не слушайте вы их.

*Отец:* Я только думаю, зачем мы там сидим?.. Там у нас никого!.. Как мы там живём?.. А здесь в Одессе рай.

*Мать:* Нет. Он хороший мальчик. Там медицина, там страховки. Мы уже сделали, слава Богу, по две операции. У меня вырезали, у папы отрезали. Ищем, что ещё отрезать. Всё по страховке. Он всё оплачивает. Он чудный сын...

*Отец:* Он не хочет...

*Сын:* Папа, я всё слышу.

*Мать (шёпотом):* Он не хочет, чтоб мы сюда приезжали. У него там дети, здесь дети... Он золотой... Он мне говорит: «Мама, я всех обеспечу, не волнуйся».

*Отец:* Там дети в университете. Здесь дети в школе. Там дети спортсмены. Здесь хулиганы. Мы сидим в бассейне. Все устроены. Там у нас пенсия. Здесь у нас друзья. ...Здесь ставят лучше диагноз, там лучше оперируют... Миша! Миша, чтоб ты так жил, как мы живём!

*Сын:* Всё! Михал Михалыч, я их забираю. Если захотите их видеть, мы ещё неделю будем здесь обедать. Потом я их отправляю в Майами. Там, если кто-то сзади посигналит, могут выстрелить. Чтоб вы знали. Манера такая. Вам будет интересно.

— Ну, — сказал я.

— Ну, — сказал он.

— Ну, — сказал отец.

— Ну, — сказала мать.

— Ну, — сказал я...

— Ну, — сказала мать...

— Чтоб не было хуже!

И мы разошлись.

# ОДЕССА! ЕДА!

Утром каша — кабаковая, то есть тыквенная.

Хотя кабаки здесь сладкие и каша сладкая.

В кабаковую кашу кладём пшено.

Не я кладу, Наташа кладёт и Леночка.

Есть у нас ещё Леночка, которая кладёт в кабаковую кашу пшено.

С этой каши начинается одесский день.

Солнце бьёт в окна.

Температура постоянная.

Сентябрь, двадцать пять — двадцать семь...

После каши крошечные сосисочки, как дамские пальчики. Вкусно!

Иначе я бы не ел.

Я не командую.

Командует у нас Наташа.

Она чётко знает, что за чем.

Она знает, чем меня кормить и чем меня лечить.

После этого что остаётся? Ничего...

Письменный стол и кофе.

Без кофе не могу.

После каши вялая голова, но крепкий живот.

Я всё время за столом.

За письменным столом. Так, примерно с десяти тридцати.

Если рано встал.

Один час разминка.

Двадцать минут каша и четыре сосисочки.

Пересаживаюсь тут же за письменный стол.

Мучаюсь до шестнадцати, семнадцати, восемнадцати...

По мобильному телефону спускаю команду: «Салат помидоры, огурчики и всё, что в доме, — насечь!!!»

Редисочка, лучок, болгарский перчик насекается, поливается подсолнечным или оливковым маслом.

Чуть бальзамического уксуса — сладковатого коричневого.

Всё это посыпать мелко натёртой брынзой.

Всё это посыпается, находясь в глубокой тарелке. И снизу вверх — из молодости в зрелость.

Иногда для радости тюлечка.

Но в отдельной большой, но плоской.

С чем? Не надо гадать.

С кругленькой, тёпленькой, вечно молодой картошечкой.

Плоская тарелка должна быть большой. Самой большой.

К этому редко бывает.

Но бывает! Тёмно-серый, ноздреватый, мягкий, мягкий хлеб...

Мы понимаем. Мы понимаем. Мы все понимаем.

Это вредно. Очень вредно. Очень не рекомендуют.

Но очень вкусно!

Рекомендую!

Нет. Не слаб человек.

Мы с вами живём в такое время и в таком месте, когда хлеб становится самым вкусным блюдом всего обеда.

Как он умудрился после полувекового перерыва?!

Этот ноздреватый коричневый с хрустящей корочкой и вкуснейшей мякотью...

А если сливочное масло домашнее?..

Зиночка, подруга Наташи, они там с папой как-то сбивают это масло.

Если намазать на этот, нет, не белый, а такой же, но коричневый хлеб...

Не представляю, как его не есть, глазами в небо!

Когда маленькие тюлечки, солёненькие, совсем крошечные.

К ним маленькая целенькая горяченькая картошечка.

Дальше... Нет, не дальше, а ближе, в трёх сантиметрах, здесь же глубокая тарелка — полная чаша икры из синеньких с лучком, мелко-мелко насечённым и загнанным внутрь...

Всё это с чайком чёрным бархатистым, для проводимости.

И это не обед. Это какой-то завтрак, полдник, переходной...

Но это я всё о придворных.

А главная — кефаль кусками.

Жарена и терпковата.

Её лучше, чтоб обжечься.

Брать руками с большого блюда на свою тарелку и разогнуть, и распластать.

У неё там только рёбрышки.

Извините, я слюной закапал текст... Нет! Это слёзы со слюной...

По-королевски. Нет! По-царски разорвал руками кефаль.

Жирными пальцами рёбра сложил отдельно на плоской крошечной тарелке, чтоб не подавиться.

Склонился над большой, огромной, тоже плоской, принюхался и приступил...

Рядом никого. Кефаль не любит хлеба. Кефаль не любит чая.

Большой кусок бумажного рулона.

Вначале слёзы, потом губы, потом пот и вдаль, где море, откуда всё и поступает...

Ей-богу! Это лучшее!

Всё, что дал успех, собрали зрители, за вычетом того, что съел я и государство, уже внутри.

Я отдыхаю. Тяжело дышу. Легко пишу.

Теперь дай бог, чтоб то, что я запомнил и описал, нашли и вы в моей родной Одессе.

# КЛАРЕ НОВИКОВОЙ

Женщине смешить непросто.

Женщине надо быть либо красивой, либо смешной.

Женщине надо быть либо умной, либо любимой.

Быть мужем талантливой — быть одиноким.

Быть талантливой — тоже быть одинокой.

Женщине, вышедшей к микрофону, ждать помощи неоткуда.

Никакая семья не помогает.

Её одиночество разделяет только публика.

Она и зал.

Такая это пара.

Они идут к любви.

Они добиваются любви.

И любят друг друга на глазах у всех.

И муж эту измену наблюдает.

## РИТА

В порту «Кларки», то есть американские электрокары.

И Рита работала на них.

В порту я, сменный механик, оставлял её ночью на хозработах.

В порту мы ещё были в самодеятельности.

А порт поехал в подшефный колхоз с концертом на американском грузовике «Додж» три четверти.

Весна. Дорога в колхоз непролазная.

Но «Додж» шёл по грязи, заворачиваясь, разворачиваясь, изворачиваясь.

Боком, задом, но вперёд.

И с нами её бывший муж, Риты, — грузчик знаменитой бригады лауреатов. Тоже в подшефный колхоз.

И в колхозе между ними ссора.

Он чего-то хотел.

Она не хотела.

Он её ударил.

Она устояла.

Чтоб заслонить её, я встал перед ней.

А он сказал мне: «Уйди. Это наши дела».

Я стоял.

А он ударил меня.

И я упал.

Но опять встал, чтоб её заслонить.

И он ушёл.

А все его друзья сказали: «Почему ты его хоть раз не ударил? Хоть разок?»

А я сказал, что никогда этого не делал.

Потом был концерт.

Потом Рита сидела с председателем колхоза.

И выпросила у него для меня «козла» покататься.

Он дал мне легковой «козёл» покататься.

Она была красивая.

Она была свободная.

А я никогда на легковой не ездил.

Я катался выпимши.

А она сидела с председателем.

Потом катался ещё выпимши.

Потом у меня «козла» отобрали.

Потом был банкет.

Стол богатый.

И мы поехали в Одессу на чём приехали.

Американский грузовик «Додж» три четверти.

В большой колхозной грязи до города шёл юзом.

Вертелся на грязи, но шёл вперёд, не останавливаясь.

Водитель и «Додж» — фронтовики.

Не важно.

Довезли.

А все мне в порту: «Почему ты его не ударил?»

Надоели.

И вдруг дня через два заявляется этот тип, её бывший муж, и спрашивает, где я.

Он знал, что я на смене, по её смене.

Все на меня указали.

Я думал, убьёт.

Он очень здоровый.

Ну, мешки по доскам.

Но встретил я его на рабочем месте.

А он достал из пакета что-то белое.

— Это тебе. Она мне твой размер сказала.

Это была первая в мире белая нейлоновая сорочка.

Её не надо было стирать никогда.

Помыл, повесил.

Или надел. Она на тебе сохла.

А главное — не убил.

Потом принёс ботинки какие-то, чтоб подарить.

Она ему размер сказала.

Бригада у них знаменитая.

Лауреаты Сталинской премии.

Я даже пытался их помирить с Ритой.

Не удалось.

Любила, думаю.

Мы с ней, извините, встречались у меня дома на Комсомольской, после смены.

Мама нас застала.

Утром вдруг зачем-то пришла с работы.

Никто ей не открывал.

Тыкала ключом, бедная.

Вдоль окон по веранде бегала. Стучала.

В окна заглядывала.

Двор затих.

Разглядела всё-таки.

И ушла.

Я её искал три дня.

Маму.

Город перевернул.

Нашлась.

Аж у своей троюродной сестры, с которой не разговаривала два года.

Отца у нас не было.

Умер в шестьдесят семь лет — от войны.

Она на меня надеялась.

Порт нам углём помогал.

Даже в тот колхоз хотели послать меня механиком.

Как её одну оставишь?

Может быть, она Риту не разглядела, но мы с ней домой уже не приходили.

Маму жалели.

А мама сказала, что раскусила меня, к сожалению.

И в порту меня раскусили.

— Ну, ты мог хоть раз его ударить... Хоть разок.

— Нет, — отвечал я, — не мог.

И перед ними стоял.

И перед ней стоял.

Что тут объяснять...

# ОНИ

Они такие красивые. Они рано становятся молодыми.

Сколько ты можешь идти сзади?

Нужно что-то сказать.

Ловко, быстро и остроумно.

Вот тут и рождается талант.

На главном инстинкте.

А солнца — вся жизнь!

А моря — вся жизнь!

А пресной воды нет.

А смывать красоту не надо.

А пыльные.

А горячие.

А пахнут акацией, ковылём, полынью и ходьбой по горячему асфальту.

А на чём они передвигаются?

Эти оборванные юбки.

Эти разорванные джинсы.

И из них медленно и плавно уходят вниз быстрые, нежные, необыкновенной красоты...

А вверху какие-то майки, куски халатов, обрывки парашютов, откуда идут глаза.

А чуть лизнёшь. Незаметно.

Но обязательно, если состришь.

Солёное.

Состришь-лизнёшь-замрёшь.
И поцелуешь.
Поцелуй дороже.
Всё остальное мельче, хуже и глупее.
Поцелуй главнее.
Ты что-то говоришь внутри поцелуя.
И ты идёшь вперёд внутри.
Поцелуй — это твоё завоевание.
Твоё произведение.
В этом поцелуе всё море, всё лето и желание сказать ещё что-то, о чём сегодня можно догадываться и когда-нибудь пожалеть.

# МЫ

Мы — мужчины!

Наш день — 23 Февраля.

И наши милые дамы в опасной сутолоке покупают нам одеколоны и зажигалки.

А для бедных мужей носки и плоскогубцы.

Мужчины — народ думающий, принципиальный, с юмором.

Без чего бы то ни было лишнего.

Тут уж всё.

Стоит мужчина на своём.

Крепко стоит.

Мыслит всё время.

Часто мрачен.

По ночам вздыхает, ворочается.

Руки разбрасывает.

Защищает кого-то.

Ответственность несёт.

Шепчут ему, как женщине:

— Сними с себя!

Имея в виду ответственность.

Плечи освободи.

Нет, не выбежать ему из семьи, не побежать по улице к морю, не уехать поездом, не взлететь соколом, не вырваться в небо вольное.

Три женщины — жена и две дочки.

Все — дети его.

Ворочается во сне.

Хрипит! Зубами щёлкает заводскими.

Руками роет постель свою, жену беспокоит бессмысленно.

И страна на его плечах с претензиями:

— Налоги давай!

НДС, ФСБ, МВД. Хотят, хотят ребята!

Только им сотрудников кормить, а ему — детей.

Плати, корми, одевай женщин своих и на государство отчисляй.

Много у государства забот, заседаний тревожных, съездов опухших, решений ошибочных, ракет неисправных, танков устарелых, конфликтов разных.

И люди огорчают.

Гибнут люди.

Платить надо семьям.

Отдай часть, отними у своих.

Будь добр, мужчина!

Он часто мрачен.

Даже не часто, а всегда!

Ест что попало.

Пьёт что попало.

Спешит. Звонит. Широкоплечий, озабоченный.

Если заработал, в спортзал идёт, потратить на себя что-то.

Отвлечься до изнеможения, до потери сознания отвлечься!!!

От жизни отвлечься!

И выйти без дум и без сил.

И пиво с мужчинами спортзальными пить. Бесшумно!

Спортсмены.

Твёрдая рука.

Крепкая фигура.

Хорош он вне дома, вне семьи.

Почти без недостатков!

Красив. В очках.

Даже стихи какие-то.

Но для этого нужна женщина внимательная.

Не посторонняя, что дома ждёт.

А внимательная, которая бы вскрикнула:

— Вот это место — повтори, Игорь...

Повтори ей, Игорёк!

Но опасно, не потянет он ещё одну женщину, хоть и внимательную.

И крепок, и статен, и в очках.

А не отодвинешь её потом.

Вот если бы, скажем, с 23 Февраля по 8 Марта.

Но кто ж на это пойдёт?

Да и плечи уже болят от ответственности.

Поэтому бесшумно пьёт он пиво с мужчинами разными, молча выбирая друга себе.

Из сдержанных.

С кем можно и на эту тему поговорить.

Жалеет он. Куда ж девается всё это солнышко в виде любви, руки, покрытые поцелуями.

Его мужской руки.

Теперь губами только разговоры с претензиями.

Руками только рукопожатия — здоров, здоров.

А женский поцелуй, в котором и есть главная любовь, ушёл из отношений.

Вначале делаем любовь, потом ею занимаемся.

Пыхтя по праздникам: 23 Февраля, 8 Марта, 1 Мая.

Мужчина кормящий.

Десять часов на работе в поисках выхода.

Три часа в пробках без радости от машины.

Семь часов во сне — с двумя перерывами на тревогу.

Мужчина мыслящий.

Не пошевелиться!

Связан телефонными обещаниями.

Пунктуален.

От этого не ходит никуда.

Всё перевернулось, не вычислить время.

А опаздывать не может.

Обмануть не может.

Не рекомендует никого, чтоб забрали от него и взяли себе.

Значит, и не богат.

Порядочность ценят.

Но использовать негде.

А на порядочных всё держится.

Весь бизнес кого обманывает?

Реклама кого надувает?

Таких вот лохов, которыми сейчас называют порядочных.

Остались люди рыночные, что покупают, перекупают долги, векселя, акции, бумаги.

Они и не мужчины.

Игроки жизни?

Кто хочет, чтоб его мужем был игрок?

Казиношник!

Рулеточник!

Картёжник!

Чья он опора?

Когда его найдёшь, чтоб опереться?

Кому нужна эта судорожная блефующая личность?

Мы ведь о мужчинах, что своими крепкими руками не могут свести концы с концами.

Пожелаем им хотя бы собеседника.

Выпьем за них немного...

Немного женского сладкого вина!

Чтобы почувствовать и оценить защитника!

## О СЕБЕ

**Н**у что о себе?
Если коротко.
Может быть, остановиться?
Напил, наел,
Налюбил,
Нарожал,
Написал,
Наговорил,
Намолчал,
Настроил,
Намолотил,
Наездил,
Остановись, стремление.
Нет. Пока его рука на мне — вперёд!

# СОДЕРЖАНИЕ

Все права защищены. Книга или любая ее часть не может быть скопирована, воспроизведена в электронной или механической форме, в виде фотокопии, записи в память ЭВМ, репродукции или каким-либо иным способом, а также использована в любой информационной системе без получения разрешения от издателя. Копирование, воспроизведение и иное использование книги или ее части без согласия издателя является незаконным и влечет уголовную, административную и гражданскую ответственность.

Литературно-художественное издание

**Жванецкий Михаил Михайлович**

**КУДА ВЕДУТ НАШИ СЛЕДЫ**

Ответственный редактор *М. Яновская*
Художественный редактор *А. Дурасов*
Технический редактор *О. Лёвкин*
Компьютерная верстка *О. Шувалова*
Корректор *Т. Бородоченкова*

**ООО «Издательство «Эксмо»**
123308, Москва, ул. Зорге, д. 1. Тел.: 8 (495) 411-68-86.
Home page: www.eksmo.ru E-mail: info@eksmo.ru
Өндіруші: «ЭКСМО» АҚБ Баспасы, 123308, Мәскеу, Ресей, Зорге көшесі, 1 үй.
Тел.: 8 (495) 411-68-86.
Home page: www.eksmo.ru E-mail: info@eksmo.ru.
Тауар белгісі: «Эксмо»
**Интернет-магазин** : www.book24.ru

**Интернет-магазин** : www.book24.kz
**Интернет-дүкен** : www.book24.kz
Импортёр в Республику Казахстан ТОО «РДЦ-Алматы».
Қазақстан Республикасындағы импорттаушы «РДЦ-Алматы» ЖШС.
Дистрибьютор и представитель по приему претензий на продукцию,
в Республике Казахстан: ТОО «РДЦ-Алматы»
Қазақстан Республикасында дистрибьютор және өнім бойынша арыз-талаптарды
қабылдаушының өкілі «РДЦ-Алматы» ЖШС,
Алматы қ., Домбровский көш., 3«а», литер Б, офис 1.
Тел.: 8 (727) 251-59-90/91/92; E-mail: RDC-Almaty@eksmo.kz
Өнімнің жарамдылық мерзімі шектелмеген.
Сертификация туралы ақпарат сайтта: www.eksmo.ru/certification

Сведения о подтверждении соответствия издания согласно законодательству РФ
о техническом регулировании можно получить на сайте Издательства «Эксмо»
www.eksmo.ru/certification
Өндірген мемлекет: Ресей. Сертификация қарастырылмаған

Подписано в печать 27.02.2019. Формат 60x84$^{1}/_{16}$.
Гарнитура «Гарамонд». Печать офсетная. Усл. печ. л. 23,33.
Тираж 5000 экз. Заказ 2389

Отпечатано с готовых файлов заказчика
в АО «Первая Образцовая типография»,
филиал «УЛЬЯНОВСКИЙ ДОМ ПЕЧАТИ»
432980, г. Ульяновск, ул. Гончарова, 14

ISBN 978-5-04-100914-4

EKSMO.RU
новинки издательства